HONORÁVEIS
BANDIDOS

Palmério Dória

HONORÁVEIS BANDIDOS

Um retrato do Brasil na era Sarney

GERAÇÃO
EDITORIAL

HONORÁVEIS BANDIDOS

Copyright © 2009 by Palmério Dória

1ª edição – setembro de 2009

Grafia atualizada segundo o Acordo Ortográfico da Língua Portuguesa de 1990, que entrou em vigor no Brasil em 2009.

Editor e Publisher
Luiz Fernando Emediato

Diretora Editorial
Fernanda Emediato

Capa e Projeto Gráfico
Alan Maia

Diagramação
Kauan Sales

Preparação de Texto
Josias A. Andrade

Revisão
Marcia Benjamim

DADOS INTERNACIONAIS DE CATALOGAÇÃO NA PUBLICAÇÃO (CIP)
(Câmara Brasileira do Livro, SP, Brasil)

Dória, Palmério
Honoráveis Bandidos : um retrato do Brasil na era Sarney / Palmério Dória. -- São Paulo : Geração Editorial,. 2009.

ISBN 978-85-61501-36-5

1. Abuso de poder - Brasil   2. Brasil - Política e governo
3. Coronelismo - Brasil   4. Corrupção na política - Brasil
5. Impunidade   6. Reportagens investigativas
7. Repórteres e reportagens   8. Sarney, José, 1930- I. Título.

09-07881   CDD: 070.4493641323

Índices para catálogo sistemático

1. Corrupção política : Reportagens
   investigativas : Jornalismo   070.4493641323

GERAÇÃO EDITORIAL

ADMINISTRAÇÃO E VENDAS
Rua Pedra Bonita, 870
CEP: 30430-390 – Belo Horizonte – MG
Telefax: (31) 3379-0620
Email: leitura@editoraleitura.com.br

EDITORIAL
Rua Major Quedinho, 111 – 20º andar
CEP: 01050-030 – São Paulo – SP
Tel.: (11) 3256-4444 – Fax: (11) 3257-6373
Email: producao.editorial@terra.com.br
www.geracaoeditorial.com.br

2009
Impresso no Brasil
Printed in Brazil

Não há alegria pública que valha
uma boa alegria particular.

Machado de Assis

Não existe organização criminosa
mais bem-sucedida do que a que
conta com apoio estatal.

Misha Glenny, *em McMáfia – Crime sem fronteiras*

Sumário

Honoráveis Bandidos

Este livro escrevemos, Palmério Dória e eu, ao vivo. Palmério conheço desde 1972. É um repórter. Há poucos de tamanho grande. Palmério é um. Como os artistas, antenas da raça, captou sinais da queda bem antes. Farejou o outono do neocoronel, apurou sem se afobar, mas sem perder tempo, guardando anotações desde o início dos anos 2000. E me honrou chamando para parceiro do texto final. À medida que interligávamos as informações colhidas, compúnhamos um painel inacreditável do quanto são capazes os filhotes da ditadura.

Diz o animador de tevê Fausto Silva, o Faustão, que "quem sabe faz ao vivo". Tivemos que nos desdobrar para não deixar escapar escândalos que se sucediam em catadupas diárias, desde que, no 2 de fevereiro de 2009, o coronel midiático aqui retratado ocupou pela terceira vez o cargo de presidente do Senado e passamos a dar forma final ao trabalho. E em meados de junho, quando o editor Luiz Fernando Emediato confirmou que nos publicaria, já se acumulava em nossas anotações uma carrada de novas peripécias imperdíveis.

Agradecemos a Karl Marx por criar a expressão que escolhemos para o título, "honoráveis bandidos". Essas figuras que, de tempos em tempos, afrouxam as fibras do chamado tecido social. É de se lhes tirar o chapéu. Conseguem sentar nas cadeiras mais insuspeitas, dignas das pessoas mais honradas. Emprestam seus nomes a ruas, escolas, edifícios públicos, rodovias, até cidades. São aqueles que, de tanto triunfar na ignomínia, Rui Barbosa inculpa de levar gente honesta a ter vergonha de ser honesta.

Que este livro sirva de epitáfio para o velho coronel, sua turma e sua era.

MYLTON SEVERIANO

Capítulo 1

Estado de permanente sobressalto

Comemoração com cara de velório • Por que Roseana chora, se os outros aplaudem? • Tem sujeira por trás do impoluto jurista • Rolo justifica outro rolo e assim por diante • A qualquer momento nas páginas policiais

Estamos em 2009. Na data em que completa meio século de carreira política, aos 78 anos, o velho coronel comemora sem o menor sinal de euforia. Por certo pesam-lhe na memória as palavras de seu falecido amigo Roberto Campos, tão entreguista que lhe pespegaram o apelido de Bob Fields, ministro do Planejamento de Castelo Branco, primeiro general de plantão do governo militar:

"Certas vitórias parecem o prenúncio de uma grande derrota. É um amanhecer que não canta."

Deputado federal, governador do Maranhão, presidente da República, cinco vezes senador. E, no início desse ano pré-eleitoral, eis que em 2010 se dariam eleições presidenciais, ele chegava pela terceira vez à presidência do Senado. Mas tinha a sensação de que tudo aquilo que havia conquistado em meio século de vida pública podia estar por um segundo. Não foi de bom agouro a cena que se seguiu a seu discurso de pouco mais de cinco minutos, ao apresentar sua candidatura à presidência da Casa, naquela manhã de 2 de fevereiro, dia de festa no mar. Em sua fala, ele citou por sinal Nossa Senhora dos Navegantes, depois de se comparar a Rui Barbosa pela longevidade na vida pública e de proclamar que não houve escândalos em suas outras passagens no cargo. Esperava uma sessão rápida, mas, para sua inquietação, vários pares passaram a revezar-se para defender o outro candidato à presidência do Senado, o petista acreano Tião Viana, e aproveitaram para feri-lo. Assim, quando abriram a inscrição para os candidatos, ele pediu para falar. Queria dar a última palavra.

Marcado pela fama de evitar confrontos em plenário, fugiu a seu estilo e fez um pronunciamento duro. Um improviso daqueles que a gente leva um mês para preparar. Deixou claro que não gostou de ver Tião Viana posar de arauto da modernidade e higienizador da podridão que paira nos ares do parlamento brasileiro.

Depois de lembrar a coincidência de 50 anos antes, quando no dia 2 de fevereiro de 1959 assumia o primeiro mandato no Congresso como deputado federal, atacou:

"Não concordo quando se fala na imoralidade do Senado. O Senado é os que aqui estão. Reconheço que, ao longo da nossa vida, muitos se tornaram menos merecedores da admiração do país, mas não a instituição."

Então, pronunciou as palavras seguintes, que trazem os sinais trocados, pois tudo quanto você vai ler é tudo quanto o velho senador não é:

"Durante a minha vida, passei aqui nesta Casa 50 anos. Muitas comissões, vamos dizer assim, muitos escândalos existiram envolvendo parlamentares, mas nunca o nome do parlamentar José Sarney constou de qualquer desses escândalos ao longo de toda a vida do Senado." Disse mais: "A palavra ética, para mim, que nunca fui de alardear nada, é um estado de espírito. Não é uma palavra para eu usar como demagogia ou uma palavra para eu usar num simples debate."

A filha Roseana Sarney, senadora pelo Maranhão, do Partido do Movimento Democrático Brasileiro, o mesmo PMDB do pai, caminhava pelo plenário, muito nervosa. Estava em lágrimas quando o pai encerrou sua fala. Os oitenta pares o aplaudiram protocolarmente, mas um deles, de um salto pôs-se de pé e bateu palmas efusivas, acompanhadas do revoar de suas melenas. Tratava-se de Wellington Salgado, do PMDB mineiro, conhecido como Pedro de Lara ou Sansão.

Onde se encontravam os jornalistas de política nesse momento, que não registraram tal despautério? Pedro de Lara é aquela figura histriônica que roubava a cena no programa Silvio Santos como jurado ranzinza, debochado e falso moralista. E Sansão, o personagem bíblico que perdeu o vigor quando Dalila o traiu cortando-lhe a cabeleira.

Esta figura caricata pareceria um estranho no ninho em qualquer parlamento do mundo. Nascido no Rio, é dono da Universidade Oliveira Salgado, no município de São Gonçalo, e responde a processo por sonegação de impostos no Supremo Tribunal Federal. Conseguiu um domicílio eleitoral fajuto em Araguari, Minas Gerais, e praticamente comprou um mandato de senador ao financiar de seu próprio bolso, com 500 mil reais, uma parte da milionária campanha para o Senado de Hélio Costa, o eterno repórter do Fantástico da Rede Globo em Nova York.

Com a ida de Hélio para o Ministério das Comunicações de Lula, seu suplente Wellington então ganhou uma cadeira no Senado Federal, presente que ele paga com gratidão tão desmesurada, que separa da verba de seu gabinete todo santo mês os 7 mil reais da secretária particular do ministro. Nesse tipo de malandragem, fez como seu ídolo, colega de Senado Renan Calheiros, que vinha pagando quase 5 mil mensais para a sogra de seu assessor de imprensa ficar em casa sem fazer nada.

Mas o cabeludo senador chegou à ribalta em 2007, justamente como aguerrido integrante da tropa de choque que salvou o mandato de Renan Calheiros, então presidente do Senado e estrela principal do episódio mais indecoroso daquele ano, com amante pelada na capa da *Playboy*, bois voadores e fazendas-fantasma. O alagoano Renan, com uma filha fora do casamento, que teve com a apresentadora de tevê Mônica Veloso, bancava a moça com mesada paga por Cláudio Gontijo, diretor da construtora Mendes Júnior. Ao tentar explicar-se, Renan enredou-se em notas frias, rebanho superfaturado, rede de emissoras de rádio em nome de laranjas, enquanto Mônica mostrava aos leitores da revista masculina da Editora Abril a borboleta tatuada na nádega.

Durante 120 dias, enxotado pela mídia e pela opinião pública, Renan resistiu no cargo, suportando humilhações como o plenário oposicionista virando-lhe as costas no dia em que tentou presidir uma sessão. Esse era o Renan que, quase dois anos depois, no 2 de fevereiro de 2009 posaria vitorioso como articulador-mor da volta de José Sarney à presidência da Casa.

Quem diria, não? O José Sarney que já foi companheiro de um nacionalista respeitado como Seixas Dória, de um articulador do calibre de José Aparecido de Oliveira, de um jurista do porte de Clóvis Ferro Costa, todos três integrantes do grupo Bossa Nova, espécie de esquerda da União Democrática Nacional, a conservadora UDN, todos três ostentando o galardão de ter sido cassados pelo golpe militar de 1964, e sabe-se lá por quais artes só ele, Sarney, dentre os quatro amigos escapou da cassação, esse mesmo Sarney agora festejado pelo cabeludo sonegador e por uma das mais desmoralizadas figuras do cenário político brasileiro, Renan Calheiros, que tinha nos costados um inquérito com 29 volumes tramitando no Supremo.

Quer fechar o círculo direitinho? Em 2007, depois de absolvido pelo plenário em votação secreta e escapar da cassação por quebra de decoro parlamentar, na casa de quem Renan Calheiros comemorou a preservação do mandato? Na casa de seu salvador, Sarney, junto com outras figuras, como o deputado federal e ex-presidente do Senado Jader Barbalho, com *know-how* em renúncia para escapar de cassação; Romero Jucá, líder do PMDB no Senado; Edison Lobão, futuro ministro das Minas e Energia; e, claro, Roseana Sarney. Nesse festejo, no Lago Sul de Brasília, não se esqueceram de "homenagear" o senador amazonense Jefferson Peres. Esta figura íntegra do parlamento brasileiro, relator do caso Renan no Conselho de Ética, recomendou a cassação, pedida pelo povo brasileiro. Os convivas mimoseavam Jefferson a todo momento, referindo-se a ele como "aquele pobre relator".

Memorável dia 2 de fevereiro. Surpreendentes seriam as fotografias nos jornais do dia seguinte. Sarney de óculos escuros como os ditadores latino-americanos do passado, amparado pelo colega de PMDB Michel Temer, eleito presidente da Câmara, igualmente pela terceira vez. Barba e bigode. Este Michel Temer merece umas pinceladas.

Meias de seda,
quieto, dissimulado

Michel Miguel Elias Temer Lulia, paulista de Tietê, nascido em 1940, é advogado, pai de três filhos. Casou em segundas núpcias em 2003 com uma jovem 42 outonos mais nova, "aspirante a Miss Paulínia", de 20 anos.

Temer desponta no mundo político no começo da década de 1980. Filiado ao PMDB desde 1981, elegeu-se deputado federal em 1986. Foi secretário de Segurança no governo de Franco Montoro. Professor universitário de direito. Jeito cerimonioso, formal e educado.

Em 1990, Luís Antônio Fleury Filho se elege governador de São Paulo, numa eleição difícil bancada pelo governo Orestes Quércia — "quebrei o Banespa, mas elegi meu sucessor", a frase de Quércia entrou para os anais da política desta Era Sarney. Pouco depois do massacre do Carandiru, em outubro de 1992, Fleury Filho indica Michel para a Segurança Pública. Ele organizou a Secretaria, criou condições de trabalho, deu recursos técnicos e operacionais.

Os admiradores e eleitores sabem que, paradoxalmente, ao mesmo tempo em que conteve o crime organizado, foi a época de melhor coexistência pacífica entre jogo do bicho e cassinos clandestinos de um lado, e de outro lado o alto comando da polícia. Não se sabe de escândalo em sua gestão, mas não há quem não saiba em São Paulo que o comando da jogatina organizada e o impoluto jurista encarregado de reprimi-la se davam às mil maravilhas.

Michel talvez seja um dos políticos mais dissimulados do país. Não tem a arrogância de ACM, o sentimento oligárquico e o provincianismo de Sarney, o pavio curto de Ciro Gomes, os ademanes gatunos de Renan Calheiros. Usa abotoaduras de Saville Road, o templo londrino dos elegantes, ou as compra em Roma, quando vai dar aulas de direito como professor convidado. As meias são as mesmas de outro elegante, o ex-ministro da Justiça Márcio Thomaz Bastos, de seda pura. A coleção de gravatas concorre com as 4 mil deixadas na mansão do Cosme Velho por Roberto Marinho, o general civil da ditadura militar. O cabelo, tingido, não chega a ser ridículo como o negro asa-de-graúna do presidente do Senado, que aparece ao seu lado nos jornais do dia seguinte ao indigitado

2 de fevereiro de 2009. A voz é do tipo frequência modulada, imperturbável e serena. Não há testemunho de uma grosseria, um ato tosco, um palavrão, um agravo que tenha partido de sua figura bem posta.

No romance do cubano Alejo Carpentier, *O Recurso do Método*, o refinado e culto governante de uma nação caribenha é, ao mesmo tempo sanguinário ditador. O jurista Michel Temer, poderoso presidente da Câmara dos Deputados na década de 1990, foi ao mesmo tempo dono de um pedaço suculento da administração pública. Foi o padrinho, o chefe, o protetor de quem operou o maior esquema de corrupção da história das docas de Santos, maior porto comercial da América Latina. Por lá passam 25% do que o Brasil importa ou exporta, e lá reinava um homem seu, um apadrinhado seu.

Atende pelo nome de Wagner Rossi. Político de Ribeirão Preto, intimamente ligado ao quercismo, mas também a qualquer governo que possa lhe dar algo em troca. Na superintendência do porto de Santos, onde 8 mil estivadores pegam no pesado e 40 navios estão em operação num dia comum, Wagner Rossi criou um estilo debochado e extrovertido para não fazer nada pelo resto da vida, ele e os descendentes. Recebia empresários e fornecedores com um procedimento que marcou sua administração e traumatizou a maior parte de suas vítimas. Precavido, tinha no gabinete um aparelho de som potente, sintonizado nas mais inesperadas emissoras de Santos. E ao som de baladas brejeiras ou *rock* pauleira, tocados em altos decibéis, atendia os interessados. Assim evitava gravações. Falava quase no ouvido das pessoas, sussurrando uma cantilena de administrador ímprobo. Como se fosse o mímico Ricardo "Marcel Marceau" Bandeira das docas santistas, na calada do gabinete fechava os acordos mais espúrios com uma gesticulação que enojava ou divertia os empresários importadores ou exportadores. Sorridente, arregalava os olhos, levantava as mãos e esfregava freneticamente indicadores e polegares, sinal de dinheiro desde que o dinheiro existe.

Se todo o empresariado brasileiro sabe disso, se toda a classe política sabe, se toda a imprensa nacional sempre soube, e agora você também já ficou sabendo, como Michel Temer não haveria de saber?

Este era o novo presidente da Câmara, que aparecia nas fotos praticamente amparando o novo presidente do Senado, Casas que entrariam numa fase de escândalos dia sim dia não, um deles carimbado pela mídia como "farra das passagens".

Pois não é que Michel Temer logo usaria o agora famoso ato secreto para absolver um colega que "farreou"? O presidente da Câmara perdoaria o deputado potiguar Fábio Faria (PNM-RN), e por extensão a outros parlamentares que usam nosso dinheiro para a tal "farra das passagens". Em dezembro de 2007, Fábio Faria levou, para animar seu camarote de "carnaval fora de época" em Natal, artistas e a apresentadora de televisão Adriane Galisteu, a quem atribuiu o *status* de "namorada".

Michel arquivaria o caso em 3 de junho de 2009. Respaldou a decisão em pareceres técnicos, pelos quais o erário pagou R$ 150 mil. A "análise ética", que custou R$ 70 mil, foi do professor da Universidade de São Paulo Clóvis de Barros Filho, que ao jornal *O Estado de S. Paulo* declarou, em 24 de junho:

"Meu parecer é um pouco broxante, enigmático, porque não oferece uma condenação apressada nem uma absolvição ingênua. Não tenho elementos para condenar ou absolver."

Trata-se, como se vê, de uma versão caríssima do que teria dito, de graça, o político mineiro Benedito Valadares (1892-1973), aquele que ficava "rouco de tanto ouvir". Valadares simplificaria a questão, dizendo o seguinte:

"Deputado levar com dinheiro público acompanhante de luxo para evento carnavalesco, não sou contra nem a favor, muito pelo contrário."

Já o parecer "jurídico" foi de Manoel Gonçalves Ferreira Filho. Ao *Estadão*, este homem da lei disse sobre a ajuda de custo para comprar passagens de avião:

"Consiste na alocação de uma verba ao parlamentar para que este se transfira, com sua família, com suas amizades mais íntimas, seus empregados, animais de estimação etc., bem como os pertences de sua conveniência para a referida sede."

Portanto, opina o jurista, ninguém tem nada com isso, se o parlamentar leva até a cadela para passear de avião. É, segundo Manoel Gonçalves Ferreira Filho, questão "de foro íntimo". Seu parecer nos custou mais caro: R$ 80 mil. Parece que, com tão doutos pareceres encomendados pelo presidente da Câmara, a farra das passagens está doravante autorizada.

Venceu sob risco de ir para as páginas policiais

Pobre do congressista que viesse com conversa de moralidade naquele 2 de fevereiro de 2009. Todo o mundo sabia que na plataforma do rival de Sarney, o petista acreano Tião Viana, uma das primeiras providências era afastar o diretor-geral do Senado, Agaciel Maia. Quem em Brasília não sabia de sua casa de 5 milhões, às margens do Lago Paranoá, com quase mil metros quadrados, três andares, cinco suítes, campo de futebol, piscina em forma de taça e píer para barcos e lanchas, escamoteada em nome do irmão? Casa que o irmão, deputado João Maia (PR-RN), escondeu da Receita Federal e da Justiça Eleitoral, e para justificar tal fato, Agaciel usou o cândido argumento de que não podia pôr a casa em seu nome porque estava com os bens indisponíveis devido a outro rolo, conhecido como escândalo da gráfica do Senado — no ano eleitoral de 1994, candidatos imprimiam à custa do dinheiro público material de propaganda eleitoral. Adivinhe quem se beneficiou dessa falcatrua? Acredite se quiser: entre outros, a filha de Sarney, Roseana, então deputada e candidata vencedora ao governo do Maranhão, numa eleição que ela ganhou na mão grande, como veremos daqui a pouco; e dois chegados de Sarney, que desfilarão pelas páginas deste livro em mil tramoias, aguarde: Edison Lobão e Alexandre Costa.

Do Maranhão, nenhuma das candidaturas foi cassada com o estouro da pouca-vergonha. Sobrou para quem não era tão chegado ao clã dos Sarney, Humberto Lucena, do PMDB paraibano, que teve a candidatura a governador impugnada pelo Tribunal Superior Eleitoral, TSE.

Em 1994, Agaciel era o diretor da gráfica, em terreno do tamanho de dois campos de futebol, com máquinas maiores, mais modernas e em maior número do que as da Editora Abril, que se gabava de ter o maior parque gráfico da América Latina. Com cerca de 600 servidores, a maioria terceirizados e apadrinhados dos senadores, essa gráfica se dedica a imprimir, em papel de primeira classe, bobagens de segunda categoria — autoelogios, autobiografias adocicadas, biografias da parentalha.

Você acha que Agaciel caiu e a gráfica saiu fora do controle do grupo de Sarney? Engana-se. No gabinete do diretor da gráfica, todo forrado de mármore, reina há doze anos no cargo Júlio Pedrosa, que é apadrinhado de Agaciel, que é apadrinhado de Sarney.

Agaciel publicou oito livros pela gráfica do Senado, um deles sobre senadores de sua terra natal, o Rio Grande do Norte. Ele entrou para o convívio da família Sarney graças ao tal escândalo da gráfica de 1994; e virou o homem do cofre do Senado, cargo que ostenta o pomposo nome de "ordenador de despesas" e que ele exerceu por 14 anos, até que o novo escândalo, o caso da mansão, saiu nos jornais 28 dias depois da posse de Sarney na presidência da Casa, bem no começo de março de 2009. Qual jornalista desconhecia que Agaciel tocava uma fantástica fábrica de nomeações e multiplicação de cargos, funções, diretorias, até com sala secreta? Quem não sabia que ele sempre havia sido homem de Sarney, por Sarney indicado em 1995? E das recepções, peladas de futebol, da vida de nababo do galã boa-pinta? Uma ligação tão grande, que Sarney não pôde deixar de ir no festão de casamento da filha de Agaciel, apadrinhada por ele, ao som da trilha sonora do sugestivo filme *O Poderoso Chefão*, mesmo com o diretor-geral caído em desgraça.

No entanto, quando o escândalo estourasse viria a mídia a noticiar como grande novidade. Tião Viana, além de apelar para a moralidade, tentou também colar sua imagem à de Barack Obama, herói daqueles dias. A novidade contra a velharia. Otimistas chegaram a acreditar numa "virada", ainda mais quando o governador de São Paulo, José Serra, e o próprio presidente do Partido da Social Democracia, o senador pernambucano Sérgio Guerra, anunciaram apoio dos tucanos a Tião. Com esta adesão, nos cinco minutos a que tinha direito, falando antes de Sarney, Tião lembrou o bordão *"Yes, we can"*, do recém-eleito presidente negro americano, e entrou em clima de "sim, nós também podemos". Foi massacrado. Nem pôde sentir o gostinho da derrota apertada: foi uma lavada de 49 a 32 para Sarney.

Qualquer ser humano estaria em estado de graça. Mas não quem vivia em estado de permanente sobressalto, antevendo a mortal possibilidade de mais uma vez o sobrenome Sarney aparecer nas páginas da crônica policial.

Capítulo 2

A urna do Zé

Como foi que o menino Ribamar virou Sarney • "Nasceu, cresceu e criou dentes dentro do Tribunal" • Primeiras trapaças com urna • "Al Capone seria aprendiz perto desse rapaz de bigodinho", disse o italiano logrado

Uma história alegra o anedotário político maranhense desde os idos de 1950. Pelas ruas de São Luís, lá vai o desembargador Sarney Costa. Carrega numa das mãos alguns livros, e uma caixa de madeira embaixo do outro braço. Tem forma de pirâmide, mas com o topo cortado e um tampo com uma fenda no centro. Ele só largava a caixa e os livros se passasse em frente de alguma igreja, para poder ajoelhar-se e fazer o sinal-da-cruz.

O desembargador, que chegou a presidente do Tribunal de Justiça, tinha um tique não muito raro, de piscar e repuxar para cima um dos olhos junto com o canto da boca. Foi ao Rio de Janeiro, inclusive, consultar-se com um grande neurologista que lhe indicaram, doutor Deolindo Porto. Mas desistiu na primeira consulta: o homem tinha o mesmo cacoete que ele. O Sarney pai, que mais tarde daria nome a povoações e a tudo quanto é logradouro e prédio público Maranhão afora, quando o paravam na rua e perguntavam que caixa era aquela que carregava, respondia, batendo na madeira:

"Esta é a urna do meu filho Zé."

O povo aumenta mas não inventa. A parábola da urna evidencia a quem José Sarney deve sua carreira política. Ele começa sem identidade própria. É apenas o "Zé do Sarney", por sua vez com tal nome registrado porque o avô do nosso herói, diz a história, quis homenagear um inglês ilustre que aportou a serviço no Maranhão e a quem todos chamavam de Sir Ney.

"Al Capone seria mero aprendiz"

O pai é quem lhe abre todas as portas. A família Costa veio do interior, de Pinheiro, no oeste, para as bandas da fronteira com o Pará, na região da Baixada, que forma grandes lagos na época de chuvas. Sarney, com 15 anos, começou a estudar no Liceu Maranhense. Aderson Lago, de tradicional estirpe política, chefe da Casa Civil do governador maranhense Jackson Lago em 2009, é uma memória viva daqueles tempos:

> "Sarney nasceu, cresceu e criou dentes dentro do Tribunal", diz Aderson, que faz o seguinte resumo, em seu gabinete do Palácio Henrique La Rocque, em São Luís, o centro administrativo do governo. "O pai não era um fazendeiro abastado, empresário, não era porra nenhuma. Nunca tiveram nada. Nunca acertaram nem no jogo do bicho. Sarney não tem como explicar a fortuna que tem. Ele mesmo contou, quando presidente da República, na inauguração do Fórum Sarney Costa, que o pai teve que vender sua máquina de escrever para mantê-lo por uns tempos."

Nascido em 24 de abril de 1930, pouco antes da revolução modernizadora liderada por Getúlio Vargas, Sarney Filho cursou direito e iniciou-se na política estudantil na década de 1950. O pai arranja-lhe o primeiro emprego, secretário do Tribunal de Justiça. Nessa época, os processos eram distribuídos por sorteio. Colocavam os nomes dos desembargadores numa caixinha e o secretário do Tribunal era quem sorteava o relator de cada processo. Seus primeiros "negócios" foram feitos nessa caixinha. O desembargador que ele "sorteava" era sempre aquele que resolveria o caso conforme a sua conveniência.

Aderson Lago narra a história de certo engenheiro italiano que havia construído a fortaleza de Dien Bien Phu, no Vietnã, e para cá veio tocar a construção do porto de Itaqui, perto de São Luís — por onde meio século depois sairia o minério de Carajás e outras mil riquezas do Brasil. Surgiu uma demanda judicial contra a empresa do italiano. No último julgamento, que a empresa perderia e, por isso, quebraria, descendo a escadaria do Tribunal, o italiano, referindo-se a Sarney, comentou com seus advogados:

"Se Al Capone estivesse vivo e aqui estivesse, diante desse rapaz de bigodinho seria um mero aprendiz."

Na juventude, Sarney usava bigodinho à Clark Gable, como o cantor das multidões Orlando Silva, o Cauby Peixoto. E, como os colegas de sua idade, sonhava com um lugar na Academia Maranhense de Letras, que um dia ele conquistaria. Afinal, São Luís era a Atenas Brasileira. Ou melhor, segundo línguas mais realistas: a Apenas Brasileira.

Aos 24 anos, sem ter sido sequer vereador, Sarney se elege quarto suplente de deputado federal nas eleições de 3 de outubro de 1954 pelo Partido Social Democrático, o PSD de Victorino Freire, realizadas pou-
co depois do suicídio de Getúlio Vargas, e quem viveu na época não duvida que tal feito se deveu a fraude na quadragésima-primeira Zona Eleitoral de São Luís. Nesse episódio é que se viu, durante um trote de calouros da faculdade de direito, um cartaz que mostrava o desembargador Sarney Costa com uma urna embaixo do braço e o balão:

"Essa é do Zé meu filho."

A escada sempre era o pai. Aderson conta como Sarney se inicia de verdade na política:

"Ele começou como oficial de gabinete do governador Eugênio Barros,
trabalhava no Palácio. Pela influência do pai, sempre. Ele foi oficial de

gabinete porque era brilhante? Não. Sim porque o pai era desembargador e a Justiça no Maranhão estava sempre atrelada ao governo."

Em 1958, sim, ele então se elege deputado federal, já pela UDN. Não é
mais José Ribamar Ferreira de Araújo Costa. Tomou para si o nome do pai
e se tornou José Sarney. Assim, chega à Câmara Federal, ainda no Rio de
Janeiro, no Palácio Tiradentes, e assina o termo de posse a 2 de fevereiro
de 1959, data que ele considera oficialmente como a do início de sua carreira política — cujo cinquentenário ele comemorou em dia tão anuvia-
do, apesar do sol sobre Brasília, naquele 2 de fevereiro de 2009.

Não lhe saía da cabeça o filho, cérebro do império Sarney, transformado em caso de polícia, enquadrado pelos federais num rosário de
crimes e sujeito a qualquer momento a ganhar um par de algemas em
torno dos pulsos e ir parar atrás das grades.

Capítulo 3

Como se faz um Fernando Sarney

Papai prefere a menina; mamãe, o menino • Funcionária federal graças a um Trem da Alegria • Homem da mala morre, dinheiro some, Sarney tem um troço • Caçula fez pós-graduação em Deliquenciologia no governo Maluf

Insondáveis são as razões do coração, realmente. Quando nos debruçamos sobre a folha corrida dos três pimpolhos do velho coronel, encontramos mais razões para um pai corar de vergonha do que para orgulhar-se. No entanto, o senador sempre demonstrou verdadeira devoção paterna por seus meninos, com indisfarçável xodó pela menina, a mimada mais velha dos três.

Roseana deu os primeiros passos na política em pleno Palácio do Planalto, no Gabinete Civil da Presidência da República, aos 32 anos, formada em ciências sociais, um vernizinho de esquerdista, um violão mal tocado, o apelido de Princesinha do Calhau — menção à mansão colonial na praia do Calhau, que ocupa um quarteirão inteiro de 20.000 metros quadrados, cercada por coqueiros de babaçu e um muro alto, em frente da Baía de São Marcos, em São Luís. Era onde se decidia a vida política do Maranhão. Ali pai e filha montaram suas mansões, vizinhas.

Quem entra na mansão de Sarney imagina tudo, menos uma residência. Com mania de colecionar anjinhos barrocos e outras antiguidades, chegou a retirar o portão de ferro fundido do cemitério de Alcântara, ilha tombada pelo Patrimônio Histórico, e levar para casa como peça de decoração. Quando o visitou, o ex-presidente socialista de Portugal, Mário Soares, levado à mansão, depois de algum tempo de espera, perguntou a Fernando, filho caçula do senador:

"Agora vamos à casa do presidente Sarney?"

Pensou que estava num museu.

Duas amigas: a dama de copas e a viúva Clicquot

Vizinha do pai na Praia do Calhau, vizinha do pai no Planalto: Roseana tinha gabinete montado pertinho do gabinete do pai presidente. Comportava-se como se estivesse na própria casa.

Bocuda. E desbocada. Mal chegando às bordas do poder federal, ela presenciou o encontro em que o deputado Cid Carvalho, seu conterrâneo, pediu a Sarney apoio para o PMDB nas eleições de 1985. Cid foi enfático:

"Presidente, ao senhor interessa o PMDB erecto!"

Cid voltou ao Planalto semanas depois desenxabido com o fracasso de seu candidato, que não passou do quarto lugar, com apenas dez mil votos. Roseana levantou o braço de punho fechado em posição fálica:

"Então, Cid? Cadê o PMDB erecto?"

Baixou o cotovelo e o balançou em gesto obsceno:

"Broxou?"

Ali ela já era funcionária do Senado, graças a um truque inacessível a nós mortais comuns. Consultemos a reportagem publicada na *Folha*

Online de 25 de março de 2009. Diz o título: "Sarney, ACM e Renan criaram 4.000 vagas no Senado". Um trecho da reportagem:

Trem da alegria — Entre os servidores efetivos, nem todos são concursados. Estes somam cerca de 1.200. Entre 1971 e 1984, os senadores aproveitaram para efetivar servidores por meio de atos administrativos, embora isso fosse vedado pela Constituição. A atual líder do governo no Senado, Roseana Sarney (PMDB-MA), é servidora do Senado graças a um trem da alegria de 1982, assinado pelo então senador Jarbas Passarinho.

O coronel Jarbas Passarinho prestou grandes desserviços à nação, seja como ministro da Educação da ditadura militar quando reprimiu e perseguiu estudantes e professores, seja como incentivador do Ato Institucional 5, o AI-5, diante de cuja truculência mandou "às favas os escrúpulos" e apoiou com entusiasmo. No finalzinho da ditadura, serviu aos apaniguados com o ato que beneficiou a filha dileta de seu amigo José Sarney, antecipando o legítimo Trem da Alegria de 1984, do senador do PDS capixaba Moacyr Dalla, que embarcou 780 felizardos na gráfica do Senado e outros 600 nos gabinetes da Casa, entre eles a mesma Roseana, que nem morava em Brasília, mas no Rio.

"Essa moça é muito raivosa. E só tem duas amigas: a rainha de copas e a Viúva Clicquot", disse um dia o ex-governador Epitácio Cafeteira, da família dos Bules, como brincava o jornalista Stanislaw Ponte Preta.

Rainha de copas refere-se a um dos vícios, segundo Cafeteira; e Viúva Clicquot se refere a outro: é meia tradução do nome do champanha francês Veuve Clicquot.

Cafeteira, mais tarde um aliado, era então o mais popular dos adversários políticos e inimigos dos Sarney. Foi ele que em 1994, por apenas um por cento dos votos, perdeu para Roseana o governo do Estado. Ganhou folgado o primeiro turno e no segundo foi derrotado por um triz graças, segundo denúncias documentadas, a uma fraude grosseira nas apurações. O que se sabe com certeza é que papai Sarney instalou-se pessoalmente dentro do Tribunal Regional Eleitoral, o TRE, e de lá só saiu quando os votos para a vitória da filha estavam assegurados. Não se chama à toa "A urna do Zé" o segundo capítulo desta nossa história.

O colunista Márcio Moreira Alves, no jornal *O Globo*, denunciou que o próprio Cafeteira teria recebido uma fortuna para ficar quieto, aceitar a derrota (apesar de vencer por 70 mil votos) e fazer corpo mole no recurso junto ao Tribunal Superior Eleitoral — perdeu o prazo, e como se sabe a Justiça não socorre quem dorme. Jamais qualquer uma das partes respondeu à gravíssima acusação de Moreira Alves.

Raivosa. Não bastasse a fraude, no início do segundo turno daquelas eleições de 1994 os jornais e a tevê do grupo Sarney começaram a divulgar que Cafeteira havia mandado matar o operário José Raimundo dos Reis Pacheco. Esse homem, acidentalmente, atropelou e matou o pai de Cafeteira em meados da década de 1980. Sentindo-se sob ameaça, sumiu de São Luís. Mas, faltando dois dias para o encerramento da campanha, a equipe de Cafeteira localizou o operário em Roraima e gravou entrevista com ele, para exibir no horário eleitoral no último dia. "Misteriosamente", a imagem da tevê desapareceu em todo o interior maranhense. Só o povo da capital, um terço do eleitorado, viu o operário dizer que estava vivo. Isto é Roseana.

"Roseana é muito inteligente, mas não tem bom coração. Zequinha tem bom coração mas não tem inteligência. Fernando não tem nenhum dos dois", define João Castelo, outro ex-aliado que virou adversário e, até 2009, quando era prefeito de São Luís, não havia se reconciliado.

ZEQUINHA,
"UMA CACHAÇA LOUCA"

Nem preferido da mãe, nem preferido do pai, José Sarney Filho, o Zequinha, filho do meio, é pesado de carregar. Foi ministro do Meio Ambiente de Fernando Henrique Cardoso, e mais nada. Seu grande feito foi transferir para o seu Maranhão, governado pela irmã, nada menos que 80 por cento das verbas de sua pasta — e Roseana achou pouco. Quando viu que não vinha mais nada, e que o irmão três anos mais moço estava fugindo dela, foi até a casa dele, pegou do jardim uma pedra e atirou-a contra a porta de vidro blindex da entrada, que se espatifou. Raivosa mesmo.

Na família, não faltaram esforços para fazer o Zequinha subir na vida. Todos conhecem a história que Aderson conta e que aconteceu no ano eleitoral de 1989, famoso por eleger pelo voto popular o primeiro presidente depois da ditadura militar:

"O Zequinha deveria ser o candidato a governador na sucessão do Cafeteira em 1990. Eu era presidente da Companhia de Águas e Esgotos e o Cafeteira criou o governo itinerante. A gente saía pelo interior, vários municípios, praças, fazia isso e aquilo. O Cafeteira praticamente obrigava o Sarney Filho a acompanhar, mas ele, irresponsável de tudo, uma cachaça louca, tinha rejeição muito grande. Não conseguia emplacar. O pai era presidente da República, o Cafeteira governador com ele debaixo do braço, o governo todo trabalhando a favor, e a rejeição dele era de 85 por cento!"

O CAÇULA COMEÇA NO GOVERNO MALUF

O pimpolho mais novo, o benjamim, Fernando é o preferido da mamãe. Naqueles dias em que o pai assumia o mais alto posto do parlamento brasileiro, em que cumpria 50 anos de carreira política, se você entrasse no programa de busca Google e digitasse "Fernando Sarney", entenderia imediatamente por que aquele 2 de fevereiro de 2009, com vitória retumbante e tudo o mais, não estava "descendo redondo" goela abaixo de José Sarney.

Logo de cara, podíamos ler no Google: "Polícia Federal pediu a prisão preventiva de Fernando Sarney". Logo abaixo, "*JB Online* — Polícia Federal quer ouvir Fernando Sarney". Mas vamos clicar na terceira notícia, da *Veja Online*. O título diz "A família de 125 milhões de reais... e um genro". O texto reproduz a reportagem da revista Veja impressa, número 1.742, de 13 de março de 2002, cuja manchete de capa diz:

A candidata que encolheu

Refere-se ao famoso caso Lunus: um monte de notas de 50, num total de 1 milhão e 350 mil reais, que a Polícia Federal encontrou na sede da empresa do casal Jorge Murad-Roseana Sarney. Roseana, que subia que nem rojão como candidata do extinto PFL, Partido da Frente Liberal, murchou junto com o marido Jorge na tentativa de explicar a origem e destinação da dinheirama. Deram sete versões, a conta do mentiroso. José Sarney e dona Marly jamais perdoarão os arquitetos da Operação Lunus, conforme se verá.

Mas ali já despontava a estrela de Fernando, o verdadeiro portador da chave que abre e fecha os cofres do clã. O queridinho de dona Marly, assim que se formou engenheiro pela Escola Politécnica de São Paulo, foi fazer pós-graduação em Delinquenciologia trabalhando como assessor do secretário de Transportes Leon Alexander. No governo de quem? Claro, de Paulo Maluf (1978-1982). Leon Alexander era responsável pela construção das estradas vicinais paulistas, que de fato só seriam abertas no governo Orestes Quércia (1986-1990). Maluf acolheu Fernando numa deferência especial a Sarney, então presidente do PDS, Partido Democrático Social, sucessor da Arena, a Aliança Renovadora Nacional, partido de sustentação da ditadura militar, que ele mesmo, Sarney, também havia presidido.

Entregar aos cuidados do governador paulista o filho Fernando, que seria o cérebro a comandar seu império, mostra o grau de camaradagem que Sarney cultivava com Paulo Maluf. A tal ponto que Maluf aceitou, sem pestanejar, a indicação de outro grande amigo de Sarney para a função de diretor-administrativo da companhia de águas de São Paulo, a Sabesp: Tauser Quinderê. Helito Bastos, subchefe da Casa Civil no governo Maluf, paulista de Amparo, define Quinderê como "uma das figuras mais simpáticas que já passaram pela face da Terra". Ele daria nome ao auditório da Sabesp, na Rua Costa Carvalho, no bairro paulistano de Pinheiros, onde as empresas devem apresentar documentos quando querem participar de alguma — e não é piada pronta — licitação.

Tal era a confiança de Sarney em Tauser Quinderê — nascido em Codó e ex-dono da Companhia Maranhense de Mineração —, que o usou como pombo-correio. Por mais de 20 anos, de tempos em tempos Tauser ia pessoalmente à Suíça levar a mala com as "economias" de

Sarney. Certo começo de tarde, instalado numa mesa do Bar da Onça, no térreo do edifício Copan, em São Paulo, Helito, bisneto do Barão de Amparo, conta entre talagadas de uísque:

"Na ditadura, não tinha esse problema, na Suíça entra tudo, então ia com a mala. Não tinha negócio de doleiro não, economizava os quatro por cento do doleiro. E, numa dessas viagens, em Genebra, o Tauser teve um ataque fulminante do coração e morreu, no saguão do aeroporto. Atenderam o Tauser e levaram a mala. O Sarney ainda não era o bilionário que é hoje, mas já era um homem rico. Tinha sido governador, era senador, já tinha os diretorezinhos e o próprio Fernando Sarney na Eletronorte, o Astrogildo Quental levantando dinheiro pra ele, que estava começando a argamassar a fortuna. E nessa mala tinha muito, era uma mala de viagem lotada de dinheiro, e o Tauser morre com ela. Como o Sarney é sabidamente sovina, o Tauser viajava sozinho, de classe econômica, aquelas coisas, sem acompanhante, nada. Pegaram o corpo do Tauser e a grana não apareceu até hoje. Tem mais um rico no mundo."

Esse Astrogildo Quental, que aparece em escutas da Polícia Federal nomeado como *Astro*, voltará a participar de outros capítulos deste livro, aguarde. Depois de dois belos goles de uísque, com o copo longo envolto por um guardanapo de papel, a aristocrática figura do ex-subchefe da Casa Civil de Maluf retoma o fio da história:

"Ao saber da notícia de que perdeu o fiel escudeiro — e também a mala — o coração de Sarney fraquejou. Impactado por ambas as perdas, deixou Brasília em direção aos cardiologistas de São Paulo. No *learjet* do dono do cimento Cauê, o mineiro Juventino Dias, dona Marly acompanhou o marido enfartado com o rosário nas mãos."

Helito garante que, naquela época, Quinderê era uma espécie de preceptor do jovem Fernando Sarney. Ou seja, trabalhando com um secretário de Transportes de Paulo Maluf, o caçula de José Sarney aprendeu todos os pulos-do-gato em sua pós-graduação.

Para Fernando,
dinheiro dá em árvore

Tempos depois, já um cleptocrata de alto coturno, quando o pai deixava a Presidência, Fernando Sarney teria a oportunidade de pôr em prática o que de melhor havia aprendido com Maluf. Nessa altura, Sarney estava rompido com Maluf, desde a Convenção do PDS em 1984. Ali, os dois brigaram porque Maluf, em vez de apoiar o ministro dos Transportes da ditadura, o coronel Mario Andreazza, candidato de Figueiredo, o quinto e último general de plantão, decidiu sair com sua própria candidatura. A passagem é conhecida: o mineiro Tancredo Neves, tendo Sarney como vice, venceu no Colégio Eleitoral. Mas adoeceu, e morreu, deixando de presente para José Sarney um mandato inesperado de presidente da República, que vigorou de 1985 a 1990.

Aqui cabe, entre parênteses, uma nota para quem gosta de futurologia do passado. Tancredo chegou a procurar Paulo Maluf para sondar se toparia ser seu vice, para mais facilmente derrotar a ditadura em seu próprio campo, o Colégio Eleitoral. Maluf não topou. Se topasse, seria ele, Maluf, o presidente em vez de Sarney...

O novo golpe de mestre de Fernando Sarney se dará então na nova transição de governo. Fernando Collor, que havia acabado de vencer Lula no segundo turno, nas eleições de 15 de novembro de 1989, chamou José Sarney para uma conversa reservada poucos dias antes de tomar posse. Conversa entre presidente que sai e presidente que entra. Collor ia tomar posse dia 15 de março de 1990, uma quinta. Ele pediu a Sarney que decretasse feriado bancário, a fim de facilitar a tomada de medidas econômicas do novo governo.

Só quem viveu aqueles dias sabe a hecatombe que aconteceu. Não só os 31 milhões de brasileiros que votaram em Lula, mas também os 35 milhões que votaram em Collor caíram das nuvens naquele início de novo governo. Collor confiscou por 18 meses as contas bancárias acima de 50 mil cruzados de todos os cidadãos e empresas — muitas delas pela primeira vez em sua história deixaram de pagar os funcionários em dia. Houve gente que havia poupado durante anos e anos e só contava com aquela soma para tocar a vida, gente que tinha acabado de vender a casa para construir outra, gente que se suicidou, e toda sorte de atropelo para milhões de brasileiros. Não se sabe até que ponto Collor informou Sarney, mas com certeza o clã ficou sabendo que haveria confisco.

Um passarinho contou a Fernando Sarney, ou terá sido um bumba-meu-boi. Usando suas prerrogativas de filho do presidente da República, Fernandinho sorrateiramente dirigiu-se à agência do extinto BBC, Banco Brasileiro Comercial, de propriedade do ex-governador goiano e ex-senador Irapuã Costa Júnior, para combinar o resgate de dezenas de certificados de depósitos bancários (CDBs) ao portador. Não era pouco. Foi preciso fretar um carro blindado, como um daqueles da Brink's, para retirar a dinheirama, que saiu do subsolo do BBC no Setor Comercial Sul da capital federal. Fernando Sarney comandou a operação pessoalmente.

A capacidade dessa gente de escapar das maiores safadezas de que se tem notícia neste país é de dar um friozinho na barriga, ao imaginar que nem uma Operação Mãos Limpas poria esses colarinhos sujos atrás das grades. Ora veja que, em 2001, sequer uma Comissão Parlamentar de Inquérito relou num dedinho deles. Foi a CPI da CBF-Nike, e quem tentou mexer com eles foi quem se estrepou: a editora Casa Amarela, que publicava a revista *Caros Amigos*, produziu um livro-reportagem sobre a maracutaia e amargou o prejuízo de ver o trabalho impedido de sair pela Justiça. O presidente da Confederação Brasileira de Futebol, Ricardo Teixeira, se safou mais uma vez. Ele e seu vice predileto, Fernando Sarney.

Ricardo e Fernando, grandes admiradores de George Washington, aquele presidente americano estampado nas notas de dólar, esses dois, quando eu escrevia este livro, semeavam já para a safra de 2014. Nos gramados da Copa do Mundo, plantariam para obter a maior colheita de verdinhas da história do Brasil.

Saco sem fundo, eles parecem. Fernando, um dos vice-presidentes da CBF, antes da Operação Boi-Barrica tinha vasta pretensão: chegar a presidente da entidade-mor do futebol brasileiro, sob a bênção de Ricardo Teixeira. Todo o mundo sabe da grande amizade entre os dois. Ricardo sempre foi presença certa nas comemorações da família Sarney. Imagine o que a dupla vinha maquinando para faturar na Copa de 2014. Construção ou reforma de estádios? Muito pouco. Era sintomático que Ricardo Teixeira viesse se batendo pela privatização da Infraero, que toma conta dos aeroportos. Dizia que o país só poderia ser sede de uma Copa de padrão de primeiro mundo com aeroportos modernizados. A ideia geral era deixar Carlos Arthur Nuzman, presidente do Comitê Olímpico Brasileiro, envergonhado com a mixaria que a turma dele faturou no Pan-Americano do Rio em 2007.

Ricardo Teixeira e Fernando Sarney iriam provar, na Copa de 2014, que dinheiro pode dar em árvore, sim.

Capítulo 4

Primeiro pé
do tripé: energia

Lição de caciquismo de Victorino Freire • Surge um personagem novo,

Armandinho Nova República • Coronéis baixam no Maranhão com ordens

de Castelo: "eleger" Sarney • Na energia, se bobear, eles fornecem até o poste

O incomensurável poder que o coronel eletrônico acumulou, e
que se mantinha até o início do século 21 à custa de sua apa-
rentemente inesgotável capacidade de "nomear", alicerçou-se
desde o início num tripé que ele foi montando, composto por energia,
terra e comunicação. Uma acumulação de fortuna, porém, primitiva,
pré-capitalista — apesar do verniz de modernizador, com laivos até de
esquerdismo, a ponto de atrair a câmera do jovem cineasta Glauber
Rocha à posse do governador que enterrou, em caixão de segunda classe,
a era do cacique Victorino Freire.

Como se experimentasse o auge daquilo que os adeptos da astro-
logia chamam de inferno astral, em vésperas de completar 79 anos,
Sarney passou aquele 2 de fevereiro de 2009 relembrando em *flashes* o
dia 31 de janeiro de 1966. Vinham-lhe à memória cenas de 43 anos
antes, do documentário *Maranhão 66*. O cineasta baiano ficou fascinado pelo discurso de posse daquele governador, quase um menino, aos
35 anos — a prometer uma democracia de oportunidades, uma ruptura

com tempos de miséria, corrupção, desigualdade. Montou o filme com o som da fala do novo governador do Maranhão sobre imagens de miseráveis, com destaque para um tuberculoso anunciando sua morte iminente num sanatório.

Qualquer alusão à herança do passado recente seria ingratidão naquele momento. Pois o então jornalista José Sarney, e ninguém desconhecia isso, até ali não passava de um seguidor de Victorino Freire. Victorino, por sua vez, fiel representante do marechal Gaspar Dutra, que o tinha como o filho que não teve. Curiosíssima figura. Esse pernambucano jamais precisou ser governador para mandar com mão de ferro no Maranhão. Seu poder cresceu quando Dutra se elegeu presidente em 1945, assim que os militares depuseram o gaúcho Getúlio Vargas, depois de 15 anos no poder, aonde chegou chefiando a Revolução de 1930. E foi um dos dois partidos criados pelo próprio Vargas que Victorino abraçou. Entre o PTB, Partido Trabalhista Brasileiro, mais à esquerda e mais urbano, e o PSD, Partido Social Democrático, mais à direita e representante dos grandes proprietários de terra, Victorino ficou com este, que aliás era o partido de Dutra. Dentre as lições de exercício desmesurado do poder que Sarney aprendeu com Victorino Freire, escolhemos a historinha que segue.

Estamos em 1954, quando José Sarney, aos 24 anos, ainda se chama José Ribamar Ferreira de Araújo Costa. Chega a São Luís do Maranhão a notícia de que Getúlio Vargas já escolheu quem vai apoiar para sucedê-lo no Palácio do Catete. Trata-se do governador mineiro, nome ainda desconhecido para o eleitorado nacional — um médico chamado Juscelino Kubitschek. Na engenharia política para que tal projeto prospere, é preciso pôr no Senado um político paraibano e já poderoso dono de uma cadeia de publicações, os Diários Associados: Assis Chateaubriand, o Chatô. Ele precisa ir para o Senado porque, no próximo governo, quer ser embaixador em Londres. Getúlio envia seu ex-ministro da Justiça Tancredo Neves ao Maranhão, para convencer o governador Eugênio Barros a aceitar a jogada e, como houvesse resistência, o próprio Juscelino lá chega. Oferece ao governador maranhense, caso seja eleito, o Ministério da Agricultura. Tudo certo, mas não há vaga para o Maranhão no Senado.

Problema insolúvel, menos para Victorino. Ele obriga o senador Antônio Bayma e seu suplente Newton Bello a renunciar. O Tribunal Regional Eleitoral convoca novas eleições para o restante do mandato e, mesmo sob protesto popular, Chatô se candidata e elege-se — só foi ao Maranhão uma vez na vida. O jovem Sarney via e aprendia.

Com sua prodigiosa memória, capaz de citar datas remotas e até número de votos que o personagem por ele relembrado teve nesta ou naquela eleição, o jornalista baiano Sebastião Nery me recebe no restaurante Alvaro's, um de seus QGs no bairro carioca do Leblon. Ele pinta com cores mais vivas os vínculos indeléveis entre Sarney e Victorino. Veja:

> "No segundo governo de Vargas, Sarney era fiel escudeiro de Victorino. Foi Victorino inclusive quem fez o pai dele desembargador. Em 1954, Sarney foi candidato, sim, a deputado federal. Eu estive no Maranhão, até me surpreendeu, era um jovem jornalista. Ele estava no PSD de Victorino. Teve 3.271 votos. Ficou como quarto suplente. Victorino fez, de alguns deputados, secretários de Estado. E tirou três, só para Sarney assumir a bancada governista do PSD. Sarney era fervoroso juscelinista, apesar de viver dizendo que fazia oposição a Juscelino."

Tem razão o jornalista. Em 26 de agosto de 2008, por exemplo, no evento Sabatina Folha, promovido pela *Folha de S. Paulo*, Sarney disse à plateia que é "injustiça" a acusação de que ele sempre está com o poder. "Fui oposição ao Getúlio, ao Juscelino", afirmou.

Diz Sebastião Nery que, na segunda metade da década de 1950, o banqueiro e político Magalhães Pinto e seu inseparável amigo e correligionário José Aparecido de Oliveira acabaram atraindo Sarney para seu projeto dentro da UDN, a direitista União Democrática Nacional. Foi então que Nery, em 1958, em vias de lançar um jornal em Salvador, viajou para o Rio em busca de publicidade do Banco Nacional, de Magalhães Pinto. E encontrou, em companhia de José Aparecido, nosso herói — José Sarney. Rememora Nery:

> "Ele me disse que havia rompido com Victorino e que era candidato pela UDN."

Mais tarde, Sarney renegará essas origens. Dirá, por exemplo, que foi da UDN desde sua fundação, em 1945 — quando ele era menino de calças curtas lá em Pinheiro. Nery não perdoa:

> "Sarney frauda a história dele nas menores coisas. Que mal tinha ele dizer que saiu do PSD para a UDN? Também não fala que foi da Arena, fala que foi do PDS."

SARNEYLÂNDIA, CAPITAL SARNÊYPOLIS

O veterano jornalista Sebastião Nery recorre a uma metáfora nesse momento. Diz que outro maranhense, o escritor Josué Montello, acordava às quatro da manhã e dizia que era para trabalhar. Mentira. A razão era outra. É a mesma razão pela qual Sarney acorda às cinco dizendo que é para ouvir passarinhos, cuidar de literatura. Mentira. É, tal como Montello, para passar o lustrador Kaol em sua falsa glória.

Vanitas vanitatum, vaidade das vaidades, tudo é vaidade. Está no Eclesiastes, livro da Bíblia sagrada que todo velho pecador teme ao abrir. A vaidade não se dá jamais por vencida; desmesurada, vai contra a lei dos homens — e até de Deus, se você crê. Como a esperteza, como dizem os mineiros, quando é demais engole o dono. O neocoronel segue como purpurado em cortejo sem ouvir a criança na calçada gritar que ele está é nu, pelado, peladinho.

Corre o mundo virtual o anedotário. Num *blog*, Veridiana Serpa, que se apresenta como bacharel em Turismo, se estarrece com o que descobriu. Em meados de 2009, ela postou na internet que, em São Luís e outras cidades do Maranhão, pode-se:

- Nascer na Maternidade Marly Sarney.
- Morar numa dessas vilas: Sarney, Sarney Filho, Kyola Sarney ou Roseana Sarney.
- Estudar nas escolas: Municipal Rural Roseana Sarney (Povoado Santa Cruz, BR-135, Capinzal do Norte); Marly Sarney (Imperatriz); José Sarney (Coelho Neto).
- Pesquisar na Biblioteca José Sarney.

- Informar-se pelo jornal *Estado do Maranhão*, TV Mirante, Rádios Mirante AM e FM, todos de Sarney; no interior, por uma de suas 35 emissoras de rádio ou 13 repetidoras da TV Mirante.
- Saber das contas públicas no Tribunal de Contas Roseana Murad Sarney.
- Entrar de ônibus na capital pela Ponte José Sarney, seguir pela Avenida Presidente José Sarney, descer na Rodoviária Kyola Sarney.
- Reclamar? No Fórum José Sarney de Araújo Costa, na Sala de Imprensa Marly Sarney, e dirigir-se à Sala de Defensoria Pública Kyola Sarney.

Veridiana Serpa anota que no texto que recebeu, e que ela conferiu, constavam as escolas Sarney Neto e Fernando Sarney, mas como não encontrou endereço na internet, retirou da lista. A moça procurou um mencionado município José Sarney, ou Sarney Costa, e os Correios informaram que "a localidade não está cadastrada". Ainda. Mas Veridiana encontrou mais estas:

- Travessa José Sarney, Anil, São Luís.
- Rua José Sarney, Tirirical, São Luís.
- Rua Marly Sarney, Açailândia.
- Rua Fernando Sarney, Santa Inês.
- Travessa Roseana Sarney, São Francisco, São Luís.
- Avenida Governadora Roseana Sarney, Barra do Corda.
- Avenida José Sarney, Chapadinha.
- Travessa José Sarney, Caxias.
- Avenida Sarney Filho, Vila Embratel, São Luís.
- Avenida Senador José Sarney, São Luís.

Divirta-se! O Google está aí para isso. Procure que você acha mais. Nem Tiradentes, mártir da Inconfidência e Herói Nacional, recebe tanta honraria. E está morto. Eles estão muito vivos.

Origem do termo
filhote da ditadura

Em São Luís, com a calma de quem tece um colar de contas *made in Caiapó*, o historiador maranhense Wagner Cabral da Costa, aos 38 anos, um jovem e brilhante intelectual, autor de *Sob o Signo da Morte — O Poder Oligárquico de Victorino a Sarney*, me explica que a ascensão de uma figura como José Sarney não acontece por acaso.

"Quando Sarney foi governador, a ditadura estava investindo forte em infraestrutura no nordeste amazônico com a usina de Boa Esperança, no rio Parnaíba, entre o Maranhão e o Piauí, e com a expansão das Centrais Elétricas do Maranhão. Então você tem um setor que passa a dar as indicações políticas do grupo."

Estamos no Hotel Abeville, na Avenida Castelo Branco, que vem da Ponte José Sarney, ligação direta, tanto do ponto de vista geográfico quanto histórico: quem garantiu Sarney governador lá na ditadura, no ano eleitoral de 1965, foi Castelo, primeiro general de plantão. Mas antes de continuar ouvindo o historiador Wagner, vamos abrir o microfone do gravador mais uma vez para Aderson Lago. Seu tio era, naquelas eleições, prefeito de Bacabal, ali segundo município do Estado depois da capital. Certo dia, aparece na antessala do prefeito um militar do Exército:

"Meu tio se assustou", conta Aderson. "Ele se apresentou como coronel da Casa Militar da Presidência da República, em missão confiada pelo marechal Castelo Branco para, conversar com o prefeito e o juiz eleitoral."

Tratava-se do futuro general Dilermando Monteiro, que exerceria papéis mais altos na década seguinte, no início do processo de "distensão", promovido por Ernesto Geisel, quarto general de plantão na ditadura militar. Foi Dilermando quem substituiu no comando do II Exército, em São Paulo, o colega Ednardo D'Ávila, demitido por Geisel em janeiro de 1976, depois de dois assassinatos seguidos perpetrados no centro de torturas que atendia pela sigla Doi-Codi (Destacamento de Operações de Informações — Centro de Operações de Defesa Interna), torturas das quais, 40 anos depois, na citada Sabatina Folha, Sarney diria que não tinha conhecimento, ao que uma entrevistada, Maryvone Lima Costa, de 77 anos, declarou e a *Folha* publicou:

"Ele diz que não sabia de torturas na ditadura? Meu Deus, só ele não sabia."

Mas naquele momento de 1965, quando muita gente já havia sido torturada e até morta pelo golpe militar do ano anterior, ao visitar o prefeito de Bacabal, a 258 quilômetros de São Luís, Dilermando Monteiro estava no Maranhão junto com outros coronéis, inclusive o futuro general de plantão João Baptista Figueiredo, com a missão de "eleger" Sarney governador.

"Meu tio", narra Aderson, "disse ao coronel que lamentava não poder atender ao marechal, por enquanto. Além de ser de outra facção política, sob comando do governador Newton Bello, era ligado a ele também por laços de família: uma filha sua era casada com o filho do governador."

O candidato natural de Newton Bello era o deputado federal Renato Archer, de seu partido, o PSD, com apoio de Victorino Freire. Houve uma reunião de governadores em Belém, na qual Castelo Branco apareceu.

"O marechal chamou o Newton Bello", narra Aderson, "e disse que se ele insistisse na candidatura de Renato Archer, seria obrigado a cassar os dois."

Newton chamou Renato, preocupado, ponderou que seria melhor ele abandonar a disputa. Mas Renato, dizendo que aquilo era "um blefe", manteve a candidatura "com ou sem apoio de Newton Bello". Aderson rememora:

"Ocorreu exatamente o que Sarney queria. O Renato rompeu com o Bello, e o Bello foi obrigado a lançar um terceiro candidato: o Antônio Eusébio Costa Rodrigues, que tinha sido prefeito de São Luís. O governo se dividiu e o Sarney, com apoio do Exército, se elegeu governador em 1965."

Eis, no nascedouro, por que surgiria mais tarde a expressão "filhote da ditadura".

Alumar faz festa
na casa do oligarca

Já o historiador Wagner, incansável pesquisador, que vive percorrendo e vasculhando todo canto do Maranhão atrás de informações, completa o perfil dos negócios que constituiriam o principal pé do tripé sobre o qual o clã dos Sarney ergueria seu império:

"Na rodada seguinte de expansão, que é exatamente o programa Grande Carajás, ainda na ditadura, você tem a implantação da Vale do Rio Doce, com corredor de exportação; a implantação da hidrelétrica de Tucuruí, no Pará; e a Eletronorte. Ou seja: vão construir uma ponta de organização do setor, o lugar em que você pode trazer as construtoras, que vêm para o Maranhão para tocar as obras. Você tem o esquema das construtoras, das licitações pra conseguir esses contratos, e a contrapartida em termos de financiamento de campanha."

Noutras palavras, grandes obras realizadas por construtoras significam aditamentos de contratos com o consequente sobrepreço, o superfaturamento, o desvio mesmo de dinheiro — como se passou a ver cada vez com mais frequência a partir da construção de Brasília. Depois desta pausa, Wagner continua:

"Mas também tem a questão da energia, que tem a ver com a Alumar — da companhia americana Alcoa, junto com outra multinacional, a inglesa BHP Billiton — localizada na ilha de São Luís (o Maranhão recebe a bauxita produzida no rio Trombetas, no Pará, que é transformada na capital maranhense em alumina e alumínio pela Alumar, que faz a exportação). O processo de fabricação da alumina consome muita energia."

Os processos de transformação de bauxita em alumínio são, talvez, aqueles que mais exigem energia elétrica. Quem tiver poder de negociação dessa energia, tem uma impressora de dinheiro nas mãos. Deixemos Wagner continuar:

"Todos os contratos da Alumar, que movimenta 430 milhões de dólares anualmente, foram negociados por agentes de Sarney. São contratos de 20 anos em que a empresa paga 20% a 25% do preço que o consumidor comum paga na cidade. O primeiro contrato venceu há poucos anos e foi renovado por mais 20 anos por gente do Sarney."

Espetacular, não? E diz mais o historiador:

"É o Fernando Sarney que faz a triangulação de boa parte desses contratos. Quando a Alumar anunciou a última expansão dela aqui, em 2007, o anúncio da empresa foi na casa do Sarney. Fizeram uma festa lá na residência do chefe oligarca, na praia do Calhau, pra dizer que a Alumar prestigia a família e agradece por seus honrados serviços."

Agradece, e remunera. Bem.

DE COMO DOBRAR O PATRIMÔNIO

Lúcio Flávio Pinto, editor do *Jornal Pessoal*, de Belém, um dos observadores mais argutos da cena amazônica, jornalista que escapa de processos como Garrincha escapava dos beques adversários, localiza em fevereiro de 2008 o auge do domínio do clã Sarney sobre a energia elétrica brasileira:

"Com a nomeação de José Antônio Muniz Lopes para a presidência da Eletrobrás, Sarney tem o poder total no setor elétrico, de alto a baixo."

Lúcio Flávio lembra que Muniz foi o dirigente da Eletronorte em quem a índia caiapó Tuíra passou o facão no rosto em 1988, no I Encontro de Povos Indígenas em Altamira, para discutir danos ambientais da construção da usina de Kararaô, depois Belo Monte. A cena correu mundo, e o Banco Mundial saiu da parada — a enchente de 2009, a maior dos últimos tempos, que arrasou Altamira, deu uma pálida ideia da tragédia que o represamento pode causar em nome do uso da energia do rio Xingu.

"Fernando Sarney era presidente da Cemar, Centrais Elétricas do Maranhão", recorda o jornalista paraense, "e a partir da Cemar ele montou esse império."

Lúcio Flávio, que acompanhou passo a passo a construção de Tucuruí, nos fornece os números que permitem calcular o quanto se pode ganhar em comissões e desvios com megaobras. Como, por exemplo, um "ligeiro" erro de orçamento na construção de Tucuruí, maior usina cem por cento brasileira, no rio Tocantins, Estado do Pará, a 400 quilômetros de Belém. O custo das obras, iniciadas em 1981, passou de 2 bilhões e 100 milhões de dólares para mais de 10 bilhões (a Eletronorte só admite 5 bilhões e 400 milhões de dólares, mas a Comissão Mundial de Barragem elevou o cálculo para 7 bilhões e meio, e Lúcio Flávio não admite que seja menos de 10 bilhões de dólares).

Aqui entra na história a Camargo Corrêa, que assinou estradas que deram acesso a Brasília, a ponte Rio-Niterói, as rodovias paulistas Imigrantes e Bandeirantes, a usina nuclear de Angra dos Reis no Estado do Rio, o gasoduto Brasil-Bolívia, as hidrelétricas de Jupiá, no Paraná, Ilha Solteira, em São Paulo, e Itaipu, na fronteira com o Paraguai, entre inúmeras obras. Quem nunca ao menos ouviu falar que a Camargo Corrêa e suas irmãs superfaturam, corrompem, subornam, compram políticos, vendem empresários? A Camargo Corrêa, que só trinta anos mais tarde veria diretores seus sair presos de sua sede em São Paulo, na Operação Castelo de Areia, da Polícia Federal.

Durante a construção de Tucuruí, o patrimônio da Camargo Corrêa dobrou, passou de 500 milhões de dólares para 1 bilhão. Sebastião Camargo, paulista de Jaú, filho de agricultores, foi quem criou a empreiteira com o advogado Sylvio Corrêa. Sebastião, o China, por causa dos olhos puxados, fumador de cachimbo, foi o primeiro brasileiro a figurar na lista de bilionários da revista americana de negócios *Forbes*, antes mesmo de Roberto Marinho — o general civil do golpe militar de 1964, do qual emergiria como um dos homens mais poderosos deste país em todos os tempos.

Quando foi criado o programa Grande Carajás, com jurisdição sobre Pará e Maranhão, criou-se também um mecanismo de incentivo fiscal que permitiu à Camargo Corrêa, em vez de pagar imposto de renda sobre esse superlucro, aplicar no projeto Alumar, na ilha de São Luís. O truque beneficiou a principal controladora da empresa, a Alcoa, que não precisou botar dinheiro seu no negócio. (Depois, a Camargo Corrêa sairia da Alumar.) A Alumar recebeu um contrato de energia semelhante ao da Albrás, ou seja, com subsídio, fazendo jus a um desconto bem camarada. O valor do subsídio, de 2 bilhões de dólares, permitiria comprar uma fábrica nova.

"Só aí você vê o que dá de 20%", arremata Lúcio Flávio, aludindo às comissões a que o clã tem acesso intermediando essas complexas operações.

Avaliando os percentuais de comissão em jogo no setor elétrico, pode-se deduzir que todos os outros negócios do clã Sarney são fichinha.

Lúcio Flávio conta que Sarney começou a mandar na Eletronorte muito antes de assumir a Presidência em 1985. Antes de Sarney, o manda-chuva naquela estatal era o coronel Raul Garcia Llano, presidente perpétuo. Ele comandou a construção de Tucuruí, uma das cinco maiores obras públicas da história do Brasil, na qual houve aquele "ligeiro" erro de orçamento. Mas, segundo o jornalista paraense, os interesses de Sarney sempre predominaram, mesmo nos tempos de Garcia Llano, graças a um "poder de articulação tão grande, que apagou as luzes da ditadura e acendeu o isqueiro da democracia".

Segundo ainda Lúcio Flávio, Sarney concede uns agrados, cedendo alguns cargos a sucessivos governantes do vizinho Pará, que detém a energia propriamente dita, mas depende da boa vontade do soba maranhense.

"A Eletronorte, contando com uma obra bilionária no Pará, entrega alguns cargos para atender alguns políticos do Estado. Ora era Jarbas Passarinho, ora era Alacid Nunes e, finalmente, o deputado Jader Barbalho (que faz parte da tropa-de-choque de Sarney na base de Lula). Já teve até petista, que foi o Dilson Trindade."

O jornalista chega então aos dias em que Sarney se vê mais uma vez no centro do poder político.

"Quando o José Antônio Muniz saiu da direção da Eletronorte para a presidência da Eletrobrás, no lugar dele ficou o Jorge Palmeira, homem de confiança do Jader Barbalho. O Jader indicou o presidente anterior, o Carlos Nascimento. Eles não brigam, sabem que é pior brigar. Quando o Nascimento deixou de ser fiel, Jader o derrubou e indicou o obscuro Jorge Palmeira."

Ah, sim: a construtora baiana Odebrecht não participou da farra de Tucuruí, mas entrou nas hidrelétricas amazônicas no Madeira e, em seguida, no Xingu, em Belo Monte, cujas obras ainda não haviam sido iniciadas até o dia 2 de fevereiro de 2009. Com as outras "maninhas" (Camargo Corrêa, Andrade Gutierrez e Queiroz Galvão), que abocanham todos os consórcios, tentaram elas mesmas fazer o estudo de impacto ambiental em Belo Monte. Mas o Ministério Público deteve a tramoia a tempo.

Era só o que faltava: gente que ganha rios de dinheiro devastando julgar até que ponto pode devastar.

QUEM TOMA CONTA
DA MINA É FERNANDO

Fernando, quando o pai se torna presidente, consolida o domínio do clã sobre o setor elétrico do país. Não escapa nada. Além de nomear toda a diretoria da Cemar, Centrais Elétricas do Maranhão, que ele preside, monta um conjunto de empresas de construção. Fabrica até o poste usado nas linhas de transmissão. Domina toda a cadeia.

Nesse emaranhado entra um irmão de Dante de Oliveira, ex-governador de Mato Grosso, autor da emenda por eleições diretas em 1984 que detonou o movimento Diretas Já. Falamos de Armando Martins de Oliveira, o Armandinho Nova República, funcionário público que fez carreira no terceiro escalão das Centrais Elétricas de Mato Grosso e depois transformou-se no mais rico empresário do Estado, com a Ampér. Sabe quem é o outro sócio da empresa? Fernando Sarney, irmão de Roseana e cunhado de Jorge Murad. Cunhado duas vezes: Murad é casado com a irmã de Fernando, Roseana, e Fernando é casado com a irmã de Murad, Teresa. Mas que família unida!

Fernando Sarney era contra a privatização da Cemar. Como privatizar algo que considerava dele? E começou uma briga com Jorge Murad, o marido de Roseana. Fernando tinha uma empresa que dominava o setor de fornecimento da Cemar, chamada Remoel, que quebrou. Então a Remoel entrou com uma ação contra a Cemar na época da privatização, cobrando R$ 200 milhões, em 2000. Roseana, que governava o Estado, fez uma lei que na prática inviabilizava a venda. A ação cobrava da Cemar correção monetária, juros draconianos e outros itens que chegavam naqueles R$ 200 milhões. Quem aparecia para comprar a Cemar pensava de cara:

"Olha, eu vou comprar um negócio desses e, de repente, essa outra empresa ganha a ação e vou ter que vender a Cemar de volta para pagar."

Ou seja, era como se os Sarney dissessem "vamos vender a estatal, mas a diretoria da empresa privada somos nós que nomeamos". Você, que nos lê, está tão espantado quanto nós com a audácia da turma. A Cemar acabou vendida por algo em torno de R$ 600 milhões. Com a lei de Roseana, aprovada pela Assembleia, quem comprasse a Cemar podia ficar sossegado: se a empresa fosse condenada em alguma ação contra ela, o Estado assumiria a dívida. Garantia absoluta. Por lei. Baixada pela irmã governadora.

Pelo que se depreende, a mina do Sarney é o Fernando? É o Fernando, é o setor energético, a galinha dos ovos de ouro. Silas Rondeau foi indicado para o Ministério das Minas e Energia por quem? Sarney. Edison Lobão, o sucessor depois que Rondeau caiu pela mixaria de 100 mil reais, foi indicado por quem? Sarney. Eles mandam no Ministério que manda na Petrobras. Estão com a parte do leão do orçamento brasileiro.

SEMPRE HÁ RISCO DE "RAPOSA NO GALINHEIRO"

E no momento em que começo este livro, fim de março de 2009, a Eletrobrás, território de Sarney e Lobão, se livra do engessamento da Lei

8.666, quer dizer, pode contratar o que quiser e quem quiser sem licitação, como já faz a Petrobras. Obra do deputado Eduardo Cunha, do PMDB do Rio de Janeiro, para facilitar a vida de quem precisa de agilidade em negociações complicadas como as licitações. Esse deputado também merece umas pinceladas, como mereceu, no primeiro capítulo, o deputado paulista Michel Temer, que aliás se elegeu presidente da Câmara naquele 2 de fevereiro de 2009, junto com a eleição do velho coronel para a presidência do Senado, bastante graças a Eduardo Cunha.

Eduardo acabava ali de entrar na casa dos 50, casado com Cláudia Cruz, jornalista conhecida nos telejornais na década de 1990, quatro filhos. Tal como aquele ministro que ditou nossa política econômica nos "anos de chumbo", seu negócio é números. Trabalhou na Xerox e na auditoria Arthur Andersen, então entrou para a política. E passou a inscrever no currículo inumeráveis suspeições.

Em 2000, a Receita Federal acusou "incompatibilidade entre sua movimentação financeira e o montante declarado ao Imposto de Renda". Três anos depois, segundo denúncia que chegou ao presidente da Câmara, Aldo Rebelo, do PCdoB paulista, Eduardo Cunha e dois colegas deputados estavam tomando dinheiro de empresários do setor de combustíveis. Usavam a Comissão de Fiscalização e Controle para os convocar e, se quisessem livrar-se da convocação, pagavam "pedágio". A denúncia não deu em nada.

A deputada estadual Cidinha Campos, do PDT do Rio de Janeiro, mais tarde acusou Eduardo de esquisita transação com o traficante colombiano Juan Carlos Abadia, preso em agosto de 2007 num condomínio de alto luxo em São Paulo. Cidinha afirmou em discurso na Assembleia que Eduardo vendeu para Juan Carlos uma casa no litoral fluminense por 800 mil dólares. Casa recomprada, em seguida, por 100 mil dólares a menos. Negócio feito por meio de laranjas, segundo Cidinha. Eduardo nega.

Eduardo tem afinidades com o clã Sarney — adora, por exemplo, lidar com energia. E fundos de pensão. Contra a posição da ministra da Casa Civil, Dilma Rousseff, e usando artifícios regimentais da Câmara que lhe permitiam chantagear, pôs na presidência de Furnas Centrais Elétricas o ex-prefeito carioca Luiz Paulo Conde. Após 14 meses no cargo, Conde ficou doente e se afastou, depois de lutar para pôr a mão no fundo de pensão Real Grandeza, dos funcionários de Furnas, que detém mais de R$ 6 bilhões em caixa — história que veremos mais de perto no Capítulo 12.

Entre 2003 e 2006, outro fundo de pensão, o Prece, da companhia de saneamento do Rio, gerido por gente que Eduardo indicou, deu prejuízo de mais de R$ 300 milhões, segundo apurou a CPI dos Correios. Parte do dinheiro regou o "valerioduto", esquema de desvio de verbas públicas para comprar apoio de parlamentares — o chamado Mensalão.

Quem o pôs na política foi o tesoureiro do ex-presidente Fernando Collor, de trágica memória, Paulo César Farias, o PC. Com menos de 30 anos, Eduardo era figura importante na campanha de Collor no Rio. Virou presidente da Telerj, companhia de telecomunicações fluminense. Aliou-se a Anthony Garotinho e à mulher dele, Rosinha. Evangélico, em 2000 elegeu-se deputado estadual pelo PPB de Paulo Maluf.

Deputado federal, reeleito em 2006, tornou-se especialista em energia. Então, em 25 de março de 2009, incluiu uma mudança na regra das licitações, abrindo a possibilidade de a Eletrobrás comprar bens e contratar serviços por meio de um "procedimento licitatório simplificado". Em seu *blog*, o preparado jornalista de economia Luis Nassif chamou Eduardo pelo eufemismo de "operador". Ou seja: Eduardo Cunha operou, e doravante a turma do Sarney e do Lobão pode fechar negócio com quem quiser, como quiser. Comentário do mesmo Luis Nassif sobre a nova regra:

"Sempre existe o risco de deixar a raposa solta no galinheiro."

Capítulo 5

Segundo pé
do tripé: terra

De uma penada, condena à morte o desenvolvimento do Maranhão • Inventor da reforma agrária ao contrário: expulsa gente e cria latifúndios • Um milhão de maranhenses migraram • Terra é pouco, também é dono do mar

O Maranhão, depois de 40 anos de predação promovida pelo clã dos Sarney, tornou-se o maior exportador de gente do país. Na primeira década do século 21, você encontraria maranhense nos lugares mais improváveis, nos garimpos da fronteira com a Venezuela, no corte de cana do interior paulista, Minas Gerais, Mato Grosso do Sul, na lavoura do Tocantins, no Amapá, nas Guianas, até em Florianópolis — que jamais havia visto um maranhense ao vivo, salvo turista.

A maioria dos passageiros que, partindo de São Luís, seguia no trem da ferrovia Carajás em direção ao Pará, era de maranhenses que possivelmente nunca mais voltariam. Espalhavam-se pela Amazônia como formiguinhas sem rumo em busca de migalhas. No sul do Pará, um em cada quatro habitantes já era maranhense. Dos 19 sem-terra assassinados em 1996 pela PM do Pará em Eldorado dos Carajás, 11 tinham vindo do Maranhão. Mas a que se deve tanta desgraça?

Como maranhense
virou novo retirante

Na Cantina Roperto, bairro paulistano do Bixiga, no começo da tarde de 5 de janeiro de 2009, encontro o governador maranhense Jackson Lago. O Roperto é seu restaurante preferido quando vem a São Paulo, e seu prato preferido ali é perna de cabrito com batatas coradas e brócolis. Estamos em vésperas de o Superior Tribunal Eleitoral promover a última e definitiva sessão, na qual os ministros da mais alta corte eleitoral brasileira lhe cassariam o mandato. Cassação meia-boca, pois ele poderia continuar no cargo enquanto aguardasse o julgamento de recursos impetrados por seus advogados, o que, em se tratando de pendenga que envolva José Sarney, as togas do Supremo resolvem a jato, como se verá.

Maranhão 69. Na nossa conversa, fazemos uma viagem no tempo de exatamente 40 anos para trás. Três anos depois de assumir o governo sob o signo da mudança e da "democracia de oportunidades", José Sarney baixou a Lei de Terras, que condenou o desenvolvimento do Maranhão à morte, ao mesmo tempo em que escancarou caminhos para o clã Sarney, nos 40 anos seguintes, ficar podre de rico e enfeixar em suas mãos poderes dificilmente igualáveis na história deste país. Poderes tais que o cidadão ali na minha frente, um médico que se tornou político de esquerda, fundador junto com Leonel Brizola do Partido Democrático Trabalhista, o PDT, seria dali a dias defenestrado do cargo de governador por José Sarney, com a cumplicidade dos ministros do STF. Melhor ainda: em seu lugar, ao contrário do que manda a lei e até o bom senso, tomaria posse não um governador escolhido em nova eleição, mas a candidata que havia perdido para Jackson, a filhinha dileta de Sarney. Com seu forte sotaque da terra, Jackson Lago principia:

"Celso Furtado chamava o Maranhão de Estado-solução, porque a cada seca um grande número de nordestinos se deslocava pra lá", diz Jackson, enquanto esperamos a hora do almoço.

Quando era menino, lembra ele, podia chegar em sua cidade, Pedreiras, gente do Ceará, Piauí, Rio Grande do Norte, e "raros voltavam, a grande massa ficava, ia produzir agricultura, as terras eram livres e férteis".

"O Maranhão passou a ser um grande produtor, sem nenhuma máquina. Hoje somos o décimo, décimo segundo produtor de arroz. Grande parte do que consumimos é importada. Naquele tempo nós chegamos a ser o segundo, era Rio Grande do Sul e nós. O Maranhão abastecia o Nordeste e mandava arroz até pra Minas, Rio de Janeiro, era uma coisa formidável", diz entusiasmado o governador, normalmente uma pessoa contida.

E aconteceu, lamenta ele, que o pequeno deixou de produzir, o nordestino deixou de ir para lá, e "de uns quinze, vinte anos para cá", o maranhense começou a sair. E o cenário que o governador pinta, alargando os braços em gestos eloquentes, é digno dos romances de realismo fantástico:

"Periferia das cidades é o primeiro movimento. Os povoados iam desaparecendo. O sujeito mora aqui no povoado e em volta estão as roças, que foram desaparecendo, e centenas de povoados, então as cidades foram inchando, todas elas, e chegou ao ponto que não dava mais, e começaram a sair maranhenses. Todas as estatísticas mostram que entre 950 mil e um milhão de maranhenses estão tentando a vida fora", narra o governador.

Jackson Lago toma um gole de vinho e pergunta:

"Por que o maranhense se tornou o imigrante de hoje?"

Essa tragédia do tamanho do êxodo do povo hebreu começa no final do governo Sarney, em 1969. Ele mandou mensagem à Assembleia Legislativa, a chamada Lei de Terras, "dizia que o trabalhador rural ia trabalhar com carteira assinada, com salário", relembra Jackson, mas a lei "era um burla à Constituição". O governador ali na minha frente explica:

"Ninguém pode ter mais de três mil hectares sem autorização do Senado. Ele, para atender interesses — no começo, de um grupo do Paraná

que queria grandes áreas na pré-Amazônia, madeira formidável —
mandou essa mensagem e criava as sociedades anônimas, mas não de-
finia o número de membros de cada S.A. Então, digamos, como não
definiu, se a S.A. tivesse cem sócios, recebiam 300 mil hectares. O vice
que assumiu ficou preocupado, eu sabia de tudo, dos detalhes, porque
trabalhava num hospital com o vice-governador, nós éramos cirurgi-
ões. No fim se entrou num acordo, cada empresa teria no máximo vinte e dois acionistas, vinte e dois vezes três são sessenta e seis. E aí
começou o Maranhão a ter grandes áreas entregues para grandes grupos. E o Sarney se juntou ao Abreu Sodré que saiu governador de São
Paulo na mesma época", conta Jackson.

Os dois novos aliados, típicos "filhotes da ditadura", montaram escritórios para organizar a venda das terras maranhenses. Esses escritórios
entregaram cerca de dois milhões e quinhentos mil hectares. A Varig
entrou na lambança, até multinacionais, como a Volkswagen. O governador nomeado pelos militares naquele tempo, quando a ditadura can-
celou as eleições para governo de Estado, foi Pedro Neiva de Santana, em
cujo mandato começou a se realizar a operação. Jackson recorda cada
detalhe dos verdadeiros crimes cometidos naquela época:

"Quando dizíamos que Sarney havia entregado as terras do Maranhão,
ele respondia: no meu governo, nunca. É verdade, foi no outro. Depois surgiu o governador Nunes Freire, também desses nomeados,
um médico, sério e tal dentro dos valores éticos dele, muito correto,
mas latifundiário: ele conhecia bem esse negócio de terra, e viu que os
graúdos queriam não apenas vender a madeira, mas pegar dinheiro
da Sudene. Então tinha treze grandes projetos e o Nunes Freire disse:
Eu não dou, tá errado isso. Aí o mundo quase desaba em cima do
Nunes Freire, grandes revistas, jornais. Ele recuou, assinou, e passou
a haver grandes áreas dirigidas por empresas nacionais e estrangeiras,
que tinham lá seus capatazes."

Foi, no dizer do governador Jackson Lago, o primeiro choque do trabalhador do campo do Maranhão com o capital. Antes, os latifundiários

moravam lá, os filhos nasciam lá, eram às vezes padrinhos do posseiro, que ficava com metade, ou um terço da produção. Mas depois da diabólica invenção de Sarney a relação passou a ser outra.

"Começou a haver conflito, esse tipo de conflito em que Manoel da Conceição perdeu a perna — é um lutador até hoje", conta Jackson, lembrando a saga do líder camponês que levou um tiro da polícia, sofreu mil torturas, e perdeu a perna por falta de socorro.

Dono da terra,
dono do mar

Só agora, conversando naquela tarde paulistana com o governador maranhense, descubro que por trás da tragédia de Manoel da Conceição, e de um milhão de maranhenses enxotados de sua terra, também está o clã dos Sarney. Jackson não disse, mas vamos acrescentar os dados oficiais que aí estão e que podemos, sem culpa alguma na consciência, pôr na conta de quase meio século de domínio absoluto da família Sarney sobre o Maranhão:

- média de escolaridade em anos de estudo: 3,6 — a menor do país;
- das 100 cidades brasileiras com menor renda *per capita*, 83 são maranhenses;
- mortalidade infantil, taxa por mil crianças nascidas vivas, em 2004, era de 43,6 — vice-campeão, perdia apenas para Alagoas.

Jackson também não disse, mas terra é pouco para Sarney. O autor de *O Dono do Mar* é também... o dono do mar. Parece outro episódio de realismo fantástico. A ilha de Curupu, nome que quer dizer Cacique Cabelo de Velha, no município de Raposa, perto de São Luís, aonde só se chega de barco ou avião, tem uma cidade linda e 15 praias maravilhosas, tudo terreno da Marinha. Poderia ser um polo turístico extraordinário, mas quem é que se arrisca a pleitear a abertura de qualquer negócio nas praias do neocoronel? Na sua reserva ambiental privada, que ele afirma que recebeu como herança?

57

Todas as 15 praias de Curupu, não por coincidência, ficam nos 38 por cento que Sarney detém em Raposa, cerca de 2.500 hectares, maior que a ilha de Skorpios do bilionário Aristóteles Onassis, na Grécia, ou a do cirurgião plástico Ivo Pitanguy, em Angra dos Reis. Seus 25 mil outros viventes que dividam entre si os 62 por cento restantes, de preferência sem vista para o mar. O Ministério do Turismo sabe de tudo isso, mas se faz de joão-sem-braço. Enquanto isso, a raposa de Raposa diz que fez em Curupu uma casa à sua imagem e semelhança, bem simples, adequada a um intelectual de hábitos espartanos. Na verdade é uma mansão, à qual se junta outra luxuosa mesmo, projeto do arquiteto Sérgio Bernardes para o casal Roseana-Jorge Murad. Coisa para acabar de uma vez por todas com aquela história de que, no Maranhão, a família Sarney só não era dona do mar. Terra, para Sarney, é pouco. Aliás, não se conhece outro caso de ex-presidente dono de ilha. Nem ex-presidente dono de castelo medieval, como se verá.

Capítulo 6

Terceiro pé do tripé: comunicações

Grampo da Polícia Federal pega o coronel no pulo • Quer maior herança maldita que as concessões de rádio e tevê? • Um tem a Globo, outro tem o SBT • Maranhenses só veem o que dois netinhos da ditadura quiserem

Q uando será que o chão começou a faltar sob meus pés? — pergunta-se o senhor semifeudal, lembrando-se da entrevista que deu em fins de 2005 ao repórter Sergio Lírio, da revista *Carta Capital*. Teria sido ali? Na capa, a revista escreveu:

CREPÚSCULO DE UM REI — Uma frente inédita desafia 40 anos de domínio de José Sarney no Maranhão, o Estado com os piores indicadores sociais do País.

Na página 30, começava a reportagem "Reinado sob ameaça". O senador sofre ao recordar o cochilo, um escorregão, até hoje quando se lembra sente comichão no rosto de vergonha: como pôde ter dito aquilo? Ele estava negando que reinasse uma oligarquia no Maranhão, dizia que a família era "gente de classe média", que "a única participação em empresas é relativa à atividade política: jornal, rádio e televisão". O repórter lhe pergunta então se isso "não faz a diferença", o velho oligarca escorrega na casca de banana ao responder:

"Isso não é ter grupo econômico. Temos uma pequena televisão, uma das menores, talvez, da Rede Globo. E por motivos políticos. Se não fôssemos políticos, não teríamos necessidade de ter meios de comunicação."

Que confissão! Mas o coronel eletrônico baixou a guarda outra vez algum tempo depois. Malditos tempos do telefone celular. Gravaram uma ligação dele com o filho Fernando, um diálogo revelador. Prova o que todo o mundo sabe: o coronel faz descarado uso político do sistema Mirante de comunicações, o que a Lei 4.117/62 proíbe, pois rádio e canal de televisão constituem "concessão pública". O grampo da Polícia Federal, de que logo daremos melhor notícia, mostra como o velho coronel usa a Rede Globo para atacar adversários em suas pinimbas e disputas. Eis o trecho:

SARNEY: *Meu filho, esse negócio que eu li do filho do Aderson Lago e do Aderson Lago. Meu filho, esse sujeito foi muito cruel com a gente (...). Escreveu outro dia aquele artigo me insultando de uma maneira brutal. Vamos botar isso na TV.*

FERNANDO: *(...) não sei por que essa pressa. Fiz isso desde o começo, consegui os documentos.*

SARNEY: *Eu vi hoje no Walter Rodrigues* (jornalista que mantém um *blog* voltado para a política maranhense)...

FERNANDO: *Viu não, foi vazado propositadamente (...).*

SARNEY: *Põe na TV. Manda botar o destino do dinheiro recebido (...).*

FERNANDO: *O cara já está aqui, da Globo (...).*

SARNEY: *Falou com ele isso, não?*

FERNANDO: *Falei com ele, mostrei tudo (...). Mas calma, não precisa pressa, não precisa pressão.*

SARNEY: *Pressão não, rapaz.*

FERNANDO: *(...) Passei para o Sérgio* (não identificado), *tô soltando no jornal pouco a pouco, a vazada foi proposital (...).*

Na minha idade, morrer pela boca, pensa o coronel, aflito, arrependido de ter desobedecido ao seu próprio instinto, jamais tratar de certos assuntos ao telefone.

Dois netos da ditadura
ditam o que ver na tevê

Das heranças malditas da ditadura, a mais pervertida delas está nas concessões de rádio e televisão. A partir da segunda metade da década de 1960, os militares passaram a cassar concessões de grupos de empresários nacionalistas e progressistas — a TV Excelsior foi um exemplo, pertencia à família Simonsen, que também perdeu a companhia aérea Panair do Brasil, celebrizada em versos de Milton Nascimento e Fernando Brant:

"Descobri que minha arma é o que a memória guarda dos tempos da Panair."

A Panair morreu para a Varig tomar conta do mercado aéreo. A Excelsior morreu para a Globo se tornar a campeã de audiência. A distribuição de concessões inaugurada pela ditadura chegou ao paroxismo quando Sarney se viu aboletado na cadeira de presidente da República. Para garantir cinco anos de mandato, e não quatro como estava "combinado", ele se mancomunou com Antonio Carlos Magalhães, seu ministro das Comunicações, e a dupla distribuiu nada menos que 1.091 concessões de rádio e televisão. Destas, 165 "compraram" parlamentares; e 257 eles distribuíram na reta final da aprovação da Constituição de 1988. Não é exagero dizer que ali os coronéis plantaram seara para colher frutos por décadas a fio.

Nem é exagero debitar na conta da dupla de coronéis a programação idiota e fabricante de idiotas que temos neste país, dado o nível de "políticos" que ganharam concessões — dispostos à imoralidade de trocar rádio e tevê por apoio a mais um ano de Sarney. São todos do mesmo saco, os grandes responsáveis pela "máquina de fazer doido", o jornalismo emasculado e engomadinho, a picaretagem em nome de Cristo, a cafetinagem do Filho de Deus — "esta televisão", escreveu João Antônio, "que vai transformando ignorantes em idiotas".

O historiador Wagner Cabral da Costa localiza o momento exato em que Sarney dá o pulo-do-gato na onça:

"Em 1991, Edison Lobão ganha a eleição para o governo e logo faz o acordo para comprar a TV Difusora com sobras de campanha. E o que eles devem ter arrecadado no segundo turno para ganhar as eleições deve ter sido extraordinário. Lobão 'perde' a concessão da Globo, fica tranquilo com o SBT, que era de Sarney. Assim se consuma um troca-troca, pois a TV Mirante do Sarney passa a retransmitir a Rede Globo."

Lobão e Sarney passariam a dominar, com o SBT e a Globo, todas as telinhas do Maranhão. Através dos anos, Sarney se gabaria de que tal concessão lhe foi concedida depois que ele saiu da Presidência da República. O fato é que, a partir dali, quem decidiria o que o maranhense iria ver todo dia na televisão seriam dois "netinhos da ditadura": Fernando Sarney, chefe de uma quadrilha segundo a Polícia Federal; e Edison Lobão Filho, o Edinho Trinta, "por causa das taxas que cobrava para realizar transações do governo do pai dele para liberar pagamentos, etc. e tal", como diz o historiador Wagner.

Mas quem é o senador Lobão, na verdade mais para cão fiel de Sarney? Como uma figura dessas chega a um dos ministérios mais poderosos da República?

Capítulo 7

Lobão ou um dos Três Porquinhos

Silvio Santos vinha aí, quem se lembra? • Golpe magistral vira mágica besta – Pai de Edinho Trinta é gelado como as neves de Aspen • Fama de delator e cão fiel da ditadura • Para Sarney, o Lobão porquinho é o cara

Reta final da campanha presidencial de 1989. Fernando Collor de Mello aparece na frente disparado segundo as pesquisas, por um obscuro PRN, Partido da Reconstrução Nacional. Eis que, de repente, surge nas telas, por outro partido obscuro, o PMB, Partido Municipalista Brasileiro, uma figura pitoresca da política paulista, Armando Correa. Com a sem-vergonhice estampada na testa, Correa lança a candidatura de Silvio Santos à Presidência da República.

Bomba! Bomba! Um *frisson* federal arrepiou pelos e cabelos país afora, nas produtoras independentes que faziam as campanhas eleitorais para rádio e tevê. Estupefação nos comitês de todos os candidatos majoritários, de Ulysses Guimarães a Leonel Brizola, de Fernando Collor a Lula, de Mário Covas a Paulo Maluf, de Ronaldo Caiado a Aureliano Chaves, de Roberto Freire a Marronzinho — aquela eleição parecia uma Arca de Noé.

FATO POLÍTICO,
NEGÓCIO LUCRATIVO

A candidatura Silvio Santos começou a crescer, e a crescer, e a incomodar. Principalmente o líder, Fernando Collor. Mesmo que Silvio não chegasse a ganhar, comeria votos exatamente nas classes D e E, onde Collor se cristalizava nos grandes centros. Bateu o desespero no deputado Renan Calheiros, líder da bancada mambembe do PRN, integrado pelos piores elementos do Congresso, aqueles que abandonaram vários partidos para dar sustentação parlamentar ao candidato que só se referia a Sarney como "o corrupto".

Renan embarca em campanha para Manaus a bordo de um jatinho de propriedade do empresário gaúcho Eduardo Sá, dono da construtora Ecobrás. No avião vão ainda Cleto Falcão, um dos responsáveis pelo lançamento do ex-governador alagoano como o Caçador de Marajás; e o jornalista Paulo Godoy, redator dos discursos da campanha de Collor.

Na suíte presidencial do Hotel Tropical, na capital amazonense, Renan apresentou os números mais recentes do Instituto Vox Populi, do empresário Marcos Coimbra, cunhado de Collor. Todo o bando do futuro presidente ali está, tais como Egberto Batista, Luís Estêvão, Paulo Octavio. Collor lê tudo atentamente. Segundo a pesquisa, Silvio Santos poderá até tirar o alagoano do segundo turno.

Monta-se um estúdio improvisado, onde Collor grava um pronunciamento para veiculação no dia seguinte, no horário eleitoral gratuito. Renan pega a gravação e leva para a jornalista Belisa Ribeiro, para que ponha no ar, em Brasília. O texto duro e elegante de Paulo Godoy, contra a candidatura tão pré-fabricada quanto a de Collor, foi revisado pelo menos vinte vezes por Collor e Renan, que colaram nele adjetivos e frases violentíssimas, atacando o presidente Sarney pessoalmente.

O pronunciamento provocou estrondosa repercussão. O *Jornal do Brasil*, em reportagem irresponsível assinada por Teresa Cardoso, mostra como Armando Correa e o paranaense José Felinto, braço direito e também esquerdo de Álvaro Dias, então governador do Paraná, haviam transformado a candidatura Silvio Santos em fato político retumbante e em negócio financeiro lucrativo para todos eles.

UM PORQUINHO
COM NOME DE LOBO

O mundo dá voltas, é o que o povo diz. Vinte voltas depois, Sarney, Renan, Collor e Álvaro Dias estarão juntos no mesmo balaio, no nosso inesquecível dia 2 de fevereiro de 2009. Renan e Collor fechados com Sarney, às claras; Álvaro Dias, como traidor, ao votar em Sarney para a presidência do Senado contra a orientação do partido dos tucanos. E Silvio Santos? Nunca mais veio aí.

De verdade mesmo, quem foi que inventou de fazer o camelô que deu certo virar presidente que jamais poderia dar certo? Três senadores do PFL, Partido da Frente Liberal, todos os três intimamente ligados ao então presidente José Sarney, impulsionaram aquela insólita candidatura do mascate eletrônico: Marcondes Gadelha (Paraíba), Hugo Napoleão (Piauí) e Edison Lobão (Maranhão). Os três traíram o candidato de seu partido, de semelhança inclusive física com uma anta, o ex-vice do general de plantão Figueiredo, o mineiro Aureliano Chaves. E tão afoitos agiram, e usaram métodos tão sórdidos, que foram imortalizados por um apelido impagável: Os Três Porquinhos.

Ninguém tinha dúvida e o ambiente no Palácio do Planalto deixava claro: Sarney havia comprado um carnê do Baú da Felicidade. Mas a alegria durou pouco. Aquele que poderia ter sido o maior, o magistral golpe de Sarney, virou fumaça em menos de dez dias. A candidatura, sem base legal alguma, foi impugnada pelo Tribunal Superior Eleitoral, TSE.

Não se deve deixar de registrar aqui que um dos Três Porquinhos, veja que ironia, atendia pelo nome de Lobão. O homem que Sarney conseguiu, em janeiro de 2008, emplacar na instância máxima da energia no Brasil, o Ministério das Minas e Energia.

"Parece que o Sarney tem uma vocação pro setor. Ele sabe, no máximo, como nós, acender e apagar um interruptor", disse ao *Terra*

Magazine o historiador Marco Antônio Villa, professor do Departamento de Ciências Sociais da Universidade de São Carlos, ironizando a posse de Edison Lobão.

"Um homem sem qualquer emoção"

Ex-jornalista, ministro aos 72 anos, natural da cidade maranhense de Mirador, Lobão formou-se em Direito. Na imprensa, chegou ao auge quando assumiu a sucursal da Globo em Brasília. Foi colega de jornalistas respeitados como Tarcísio e Haroldo Holanda, João Emílio Falcão, Ari Cunha e Gilberto Amaral no *Correio Braziliense*. Quando precisavam de alguém para fazer um "trabalho sujo", rejeitado por qualquer jornalista que merecesse este nome, o superintendente dos Diários e Emissoras Associadas em Brasília, Edílson Cid Varela, gritava:

"Manda pro Lobão!"

Um publicitário superinformado define:

"Se Don Corleone, na interpretação magnífica de Marlon Brando, tivesse conhecido o Lobão, faria dele seu lugar-tenente. O Lobão é de uma frieza glacial. Vai ser fiel ao Sarney até o velório. Mas, antes da missa do sétimo dia, já toma o poder dos meninos, o que não é difícil. Além disso, o Edinho odeia o Jorginho Murad, pois concorrem na mesma faixa, digamos, o mercado do percentual."

Corajoso, atrevido, tornou-se ministro peitando Dilma Rousseff, a poderosa ministra, chefe da Casa Civil e menina dos olhos do presidente Lula como candidata à sua sucessão, e apesar de ainda outro dia estar filiado ao seu PFL velho de guerra, do qual se desfez para entrar no PMDB e se credenciar ao cargo, sempre pelas mãos do padrinho Sarney.

Quando foi nomeado ministro, o filho — seu suplente — demorou a assumir o lugar no Senado: estava esquiando em Aspen, o "paraíso gelado", nos Estados Unidos. Com seu rosto talhado em pedra, Lobão se manteve calado em meio ao tiroteio que apontava as maracutaias do filho. Não abriu a boca. Afinal, era o ápice de sua carreira.

Edinho Trinta, menino mimado de dona Nice, herdou dos pais, entre outros negócios, a representação da cervejaria Schincariol no Maranhão, que ele botou no nome de uma doméstica-laranja quando o Fisco bateu com punhos de ferro em sua porta. Por falar em Nice, deputada federal pelo ex-PFL, um amigo do casal fala duas coisas:

"A Nice é cem vezes melhor que o Lobão. O poder e a fortuna não tiraram a humanidade dela. Foi secretária de Ação Social no governo dele. Nunca votou contra aposentados e trabalhadores. Já o Lobão topa qualquer parada. Ele é inabalável, frio. Se acertar na loteria e ganhar um milhão de dólares, se ficar com ódio, se for beijado por um neto querido, mantém a expressão inalterada, a mesma expressão facial. É um homem despido de qualquer emoção."

Carregará também para sempre a fama de delator e de cão fiel dos mandachuvas da ditadura. Assim que deixou o poder, Ernesto Geisel fez uma viagem a Blumenau a convite dos alemães da empresa têxtil Hering. Viajou num avião da Líder, pintado em tons de verde. Foi o bastante para um deputado açodado, Mendes de Mello (PP-SC), dizer que tinha visto, com seus próprios olhos, o ex-presidente descer de um avião da FAB, a Força Aérea Brasileira. No outro dia, lá estava Lobão na tribuna rosnando, defendendo o ex-chefe com nota fiscal, foto do avião, prefixo, carta do pessoal da Líder confirmando.

Já a fama de dedo-duro é reforçada por sua atitude em outra sessão da Câmara, em que se homenageava o chefe guerrilheiro Carlos Marighella. Estava presente Carlos Marighella Filho, deputado estadual na Bahia, simpático como o pai. Inopinadamente, totalmente fora de tom, Edison Lobão ocupa a tribuna munido de uma série de documentos e passa a acusar Marighella de assaltos, sequestros e outros crimes que nem havia praticado.

Para Sarney, esse é o cara.

Capítulo 8

O lado feminino
(capítulo rosa-choque)

"Aqui quem manda é meu marido!" • Assessor da Assessora manda mais
que o Mandarino • Incrível Ana, precursora de Sarney e de Roseana • Ana
Maria bateu-lhe a porta na cara, Alexandra expulsou-lhe a filha do palácio

Assim como há homens fêmeos, há mulheres machas. Mas que pensamento esquisito surge na cabeça do senador, naquele 2 de fevereiro de 2009, de braço dado com o também recém-eleito presidente da Câmara, Michel Temer, com seu talhe de mordomo de filme de terror. Não sabe igualmente por que nessas horas cruciais lhe vêm as lembranças de figuras femininas marcantes na sua vida. Neste livro, que ele não autoriza como sua biografia, um quinto se dedica a mulheres. Ou homens fêmeos.

TÃO FRESCO,
QUE É "PHRESCO"

Chegando ao Maranhão, o colunista aposentado era implacável. Falamos de Reinaldo Loyo, amazonense que se fez no Rio de Janeiro, decano dos colunistas sociais, imenso no tamanho, na mordacidade e na alegria de viver. Segundo Reinaldo, Sarney é o dono do Estado, da televisão, do jornal e do colunista social: Pergentino Holanda, uma das coisas mais loucas que eu já vi na vida. O PH.

Pergentino Holanda é aquela figurinha carimbada. Não se trata daqueles que fazem mal aos outros, mas, seguramente, faz muito bem a si próprio. Desfila pelas velhas e estreitas ruas da ilha de São Luís ao volante de uma luzente Mercedes-Benz último tipo, vindo de uma cinematográfica propriedade nos arredores da ilha. PH faz e desfaz no *society* maranhense. Aos domingos, em *O Estado do Maranhão*, assina um caderno, onde seu monograma é contornado por uma estrela dourada. Estrela das grandes, cintilante. PH, saibam todos, depois de Roseana, é a maior estrela do Maranhão.

Seus aniversários são bancados por amigos generosos. Um banca a bebida; outro, o bufê; algum deslumbrado manda imprimir os convites na *nec plus ultra* tipografia Paul Nathan, do Rio; outro maceteia as passagens de alguma empresa aérea e o PH traz seus convidados do sul. Todo o mundo de gala e suando em bicas. Igualzinho Manaus, um calor das trevas dos infernos e a canalhada toda tomando o champanha que o Edemar Cid Ferreira, aquele do Banco Santos, pagou superfaturado, e o pessoal se achando o máximo. Mas o PH virou um grande lobista. Ganha os tubos. Se abrirem uma caixa-preta, não tem como justificar a imensa riqueza. São raros os colunistas que passam pelo imposto de renda. Nem eu!

O genial humorista da televisão Chico Anysio, sentindo-se atingido por uma nota malvada publicada por PH em sua coluna, não perdoou. No belo Teatro Arthur de Azevedo, no centro histórico de São Luís, lotado de gente saindo pelo ladrão, dá um *show* de humor e competência. Aplaudido de pé, sorridente e simpático, pede silêncio ao público e carimba, impiedoso, o seu detrator, com esta tirada de Escolinha do Professor Raimundo:

"Ah, eu me esqueci! O Maranhão é o único lugar do mundo onde se escreve fresco com PH."

SECRETA, O REBOLATIVO,
LEVA MAIS CAL À PÁ

Seu nome é Amaury de Jesus Machado, mas pode chamá-lo de Secreta que ele gosta — forma abreviada de secretário. Aos 51 anos, funcionário do Senado, Secreta mora na cidade-satélite do Guará, onde dispõe de um plantel de garotões musculosos e amestrados.

Na campanha eleitoral de 1998, quando Marcelo Amaral, filho do colunista social Gilberto Amaral, candidatou-se a deputado, Secreta tomou-lhe um dinheiro para fazer uma festa em estilo de quermesse, apresentá-lo e arrumar votos.

O pessoal da campanha chegou, apareceram uns garotões tratados a pão-de-ló, aquilo não ia render nem meia dúzia de votos.

O chefe da campanha me contou que, em vésperas do pleito, após tomar muita grana, Secreta ainda apresentou mais uma despesa absurda. Não pagaram, rolou um estresse e ele se deu por liberado para atacar outro candidato.

A rebolativa figura anda cheia de joias de ouro, colares, pulseiras. Goza de absoluta confiança de Roseana e de toda a família Sarney. Faz o estilo "cunhã". Mas chamar de mordomo fica mais chique. Secreta recebe do Senado como "assessor de gabinete", mas trabalha na casa de Roseana. Os repórteres Rosa Costa e Rodrigo Rangel começam assim seu despacho da capital federal para o jornal *O Estado de S. Paulo*, publicado em 20 de junho de 2009:

"O Congresso abriga mais um exemplo ilustrativo do uso de dinheiro público para bancar despesas privadas da família do presidente do Senado, José Sarney (PMDB-AP). O mordomo da casa de sua filha, Roseana Sarney, ex-senadora e atual governadora do Maranhão, é um servidor pago pelo Senado. Deveria trabalhar no Congresso, mas de 2003 para cá dá expediente a sete quilômetros dali, na residência que Roseana mantém no Lago Sul de Brasília."

Secreta, explicavam os repórteres, é "uma espécie de faz-tudo, quase um agregado da família", encarregado de serviços de copa e cozinha, organizador de recepções. Os jornalistas do *Estadão* ligaram para a casa que a ex-senadora e então governadora maranhense mantém em Brasília. Um empregado informou que o servidor público Amaury, o Secreta, se encontrava em São Paulo fazia dez dias, acompanhando Roseana. Ela havia passado por uma anunciada cirurgia para retirar um aneurisma, conforme veremos adiante, neste mesmo capítulo.

Os repórteres confirmaram as funções particulares de Secreta com empregados da família Sarney e, pelo telefone, ouviram Roseana declarar:

"Ele é meu afilhado. Fui eu que o trouxe do Maranhão. Ele vai à casa quando preciso, umas duas ou três vezes por semana. É motorista noturno e é do Senado. E lá até ganha bem."

Grande, Secreta. Chegou a filiar-se ao PFL quando a "madrinha" estava nesse partido, herdeiro da Arena da ditadura. Trabalhou até no Palácio da Alvorada quando Sarney era presidente (1985-1990). Na época promoveu uma festinha com dois garotos na mansão do Calhau, em São Luís, que ele tinha ido arrumar para uma ida do então presidente. Os rapazes aproveitaram para amarrar Secreta e roubar a mansão. Coisas da vida.

Colegas de função acreditam que ele ganha entre R$ 12 mil e R$ 15 mil, mas pode ser mais. Com tantos atos secretos, e o sujeito ainda se chama Amaury, o Secreta. Um amigo do Senado me diz que ele ganha muito para poder bancar pequenas despesas de emergência da família. É um lambaio de luxo.

Anotaram os repórteres do jornal paulista que, mesmo que Roseana ainda estivesse exercendo o mandato de senadora, "não poderia ter um servidor como empregado doméstico".

Não bastava ao senador manter com dinheiro público o neto, a mãe do neto, sobrinhas — a parentalha. E aparece um bichinho de estimação de Roseana, o Secreta. O velho coronel tinha a sensação de que mãozinhas invisíveis punham mais um punhadinho de cal na pá.

Ana, Rainha
do Maranhão

Macha foi Ana Jansen. Mandou tantos anos quanto Sarney. De 1820 a 1860 só dava ela. Qualquer semelhança com Roseana não é mera coincidência. Ana Joaquina Jansen Pereira Leite, ou simplesmente Ana Jansen, era conhecida como Rainha do Maranhão. Como José Sarney, era uma poderosa mandona, que dava as cartas na vida política, econômica e social da então Província. Como José Sarney, esse domínio era baseado no atraso, no obscurantismo e na perseguição aos adversários. Não por acaso, o Sistema Mirante de Comunicação fica na Avenida Ana Jansen.

Mulher de até espírito truculento, teve a sorte de casar com o filho do homem mais rico do Maranhão daqueles tempos, Manoel Rodrigues Pereira, que fez fortuna negociando com cheques devidos à Coroa, chamados de "assinados", e depois comprou "na baixa" as terras dos jesuítas defenestrados do país pelo marquês de Pombal, figura-chave do governo português na segunda metade do século 18. Ana Jansen foi bafejada de novo pela sorte com a morte do marido, Isidoro. E ficou livre para voar. "Viúva, soube Donana Jansen (como também era chamada) dirigir a vida com tino financeiro. Conservou as fazendas da lavoura, vendeu terras e comprou prédios em São Luís, tornando-se, por esta maneira, a maior fazendeira de São Luís", conta Jerônimo de Viveiros, no livro *Rainha do Maranhão*.

Não era exatamente uma viúva alegre. O que ela mais queria era o poder, não importavam os meios. Tal como seu sucessor de jaquetão no século seguinte, andava armada com o meio de comunicação que a época colocava a seu dispor. Seu jornal, *O Guajajara*, especializou-se na grosseira difamação de quem quer que atravessasse o caminho dela. Se isso não resolvesse, mandava entrar em ação seus *caceteiros*, que serviam para o que você está imaginando: baixar o cacete.

Um desses adversários, o jornalista Sotero Reis, editava uma publicação chamada *A Revista*. Primeiro Ana Jansen tentou comprar o dono da tipografia em que Sotero imprimia o periódico. Não colou. Então mandou que sua tropa de choque, formada por escravos, empastelasse a tipografia e a inundasse. E o dono, antes que "a água fosse seguida de fogo", vendeu o prédio para a fazendeira, não antes de ser despejado com seus 14 parentes, seguindo os modos e maneiras da Rainha do Maranhão.

Outro adversário, Cândido Mendes de Almeida, foi desembarcado na base da porrada do navio Nacional, no qual viajaria com destino ao Rio, para tomar posse no mandato de deputado à Assembleia Geral Legislativa.

E a sacanagem que o comerciante Antônio José Meireles aprontou, encomendando em Portugal centenas de urinóis com a figura de Ana Jansen no fundo da parte interna, sentada num andor, caiu no vazio. Depois de comprar todos os urinóis no comércio de São Luís, seus escravos fizeram pedacinhos deles na porta do estabelecimento de seu inimigo. Mais ou menos como Fernando Sarney faria um século mais tarde com jornais, revistas e livros que chegassem ao Maranhão com críticas ao clã. Coisa que pode acontecer com este livro.

Mas onde Ana Jansen guardava mais semelhança com sua reencarnação na figura de José Sarney era nos métodos para manter o Maranhão no atraso. A partir de 1856, Ana sabotou sistematicamente a Companhia das Águas do Anil, moderno projeto de abastecimento de água potável, conduzido pelo engenheiro Raimundo Teixeira Mendes, espírito empreendedor que se formou em Paris. Ana o levou à falência para não abrir mão de uma de suas principais fontes de renda: o comércio em pipas sobre carroças puxadas por muares, a água vendida de porta em porta por escravos maltrapilhos e sujos. Jerônimo de Viveiros narra assim o primeiro ataque de Ana Jansen:

"Ainda não tinham decorrido oito dias depois da inauguração da Companhia das Águas do Rio Anil, e aparecia boiando nas águas do depósito do Campo d'Ourique um gato morto, já em putrefação. Os negros da Rainha espalhavam a notícia — gato morto na caixa-d'água —, que o povo repetia pelas esquinas da cidade."

Seguiram-se outros atentados. Não adiantou o coitado do Teixeira Mendes organizar uma equipe de guardas para vigiar a caixa-d'água, pois na madrugada eles eram atacados pelos escravos caceteiros até a chegada dos soldados do governo da província. Ana Jansen mandou soldar os canos que ligavam a rede geral dos chafarizes. Chegaram mais soldados. De nada valeu. Ana Jansen mandou construir uma parede para cortar a circulação da água. Enquanto isso, as carroças-pipa circulavam faceiras pela cidade, o que aconteceu por mais quinze anos, quando enfim nasceu a Companhia das Águas de São Luís, absolutamente contra a vontade da Rainha do Maranhão.

Ana Jansen, feia por fora e horrorosa por dentro, seria vista um século mais tarde com benevolência como mulher que peitou uma sociedade machista e a pobreza da origem, além de adotar comportamento independente — teve filhos antes de casar e depois de enviuvar. E conseguiu quase tudo o que quis nos seus 82 anos de vida.

Quase. Não conseguiu o sonhado título de baronesa, indeferido por Pedro II. Tal como a rima mais pobre de Ana, Roseana, imitação de mulher independente, invenção de José Sarney, que um dia chegou a vê-la presidente da República, título atropelado por uma batida da Polícia Federal, como aqui se narrará.

ROSEANA, PITIS
E FANIQUITOS

Em 2001, sob o governo de Roseana, Ana Jansen deu nome a uma lagoa entre Ponta d'Areia e o bairro de São Francisco. Inaugurada em 30 de dezembro, com festa, discurso e foguetório, o Parque Ambiental da Lagoa da Jansen, em São Luís, não resistiu à primeira chuva, duas semanas depois. Tendo custado R$ 70 milhões, enviados pelo mano Zequinha, ministro do Meio Ambiente de Fernando Henrique Cardoso, o lago artificial, de pouco mais de um metro de fundura, transbordou, invadiu condomínios de classe média alta e casebres paupérrimos em volta. Dejetos de matéria vegetal não retirada desmoralizaram o que Roseana havia chamado dias antes de "a nossa lagoa Rodrigo de Freitas", comparação que também era um despautério, pois a carioca Rodrigo de Freitas volta e meia amanhecia cheia de peixes podres. A despoluição da lagoa Jansen, item mais caro do dinheiro gasto, simplesmente não foi feita.

Deu no jornal:

Governo Roseana desviou milhões na recuperação da Lagoa da Jansen
(Jornal Pequeno, *São Luís, 24 de julho de 2005*).

O DNA de Roseana não nega. Quando o pai se tornou governador, lá em 1966, ela estava com 12 anos e vivia no Rio de Janeiro. Sua volta à província prenunciou o que a vida lhe reservava no Maranhão. Declaradamente a preferida do pai, mimada, cercada de atenções e de carinho, isto talvez ajude a explicar uma faceta de sua personalidade. Ela é mandona, temperamental, e protagoniza memoráveis escândalos e faniquitos, comentados à meia voz na alta roda de sua terra. Já vimos dois exemplos no Capítulo 3: o caso do PMDB erecto e o caso do blindex do irmão Zequinha que ela estraçalhou com uma pedrada.

QUEM MANDA
É A MANDARINA

Depois de acompanhar papai na campanha para o Senado em 1970, Roseana foi estudar na Suíça. Teria ido fazer pós-graduação em Ciências Sociais, após formar-se em Brasília. Aderson Lago não esconde o sorriso irônico:

"Não se conhece nenhum colega de turma de Roseana. E, pior ainda, apesar dessa passagem pela Suíça, ela não fala nenhum outro idioma, e mal domina o português."

Em 1981, aos 27 anos, Roseana torna-se funcionária do gabinete do pai no Senado. Mora no Rio, o que nunca a impediu de receber, integral e pontualmente, o salário. Em 1982, graças a um trem da alegria, cujo maquinista era o senador Jarbas Passarinho, como vimos no Capítulo 3, o Senado a efetivou como sua funcionária.

Quando o pai, por obra das bactérias do Hospital de Base de Brasília, que mataram Tancredo Neves num pós-operatório, viu-se guindado à Presidência da República, Roseana viveu uma época em que tudo parecia sonho. Além de gabinete ao lado do pai no Palácio do Planalto, morava com o marido Jorge Murad no Palácio da Alvorada, residência oficial do presidente. Os humoristas do jornal *Planeta Diário*, mais tarde responsáveis pelo programa de tevê Casseta e Planeta, a chamavam de "a Estonteante Roseana". Sua filha adotiva, Rafaela, tinha como babá não menos que um tenente do GEB, o Glorioso Exército Brasileiro. E a família se deslocava em jatinhos da FAB, ou de amigos empreiteiros como Murilo Mendes, da Mendes Júnior, um dos financiadores da campanha do pai para o governo maranhense em 1966, ou Aníbal Crosara, da Goiana Emsa.

Já Jorge Murad, o maridão discreto, sisudo e antipático, frequentava com certa insistência a crônica política, que dava conta de atividades empresariais no submundo do governo Sarney. Fascinado pela herdeira, o pai nunca deixou de escutar seus conselhos políticos. E ela, vaidosa, sempre se considerou uma *expert* no assunto. Ministros foram feitos por sua vontade. Dante de Oliveira, deputado mato-grossense famoso por sua emenda à Constituição conhecida como emenda das Diretas Já, contra a qual José Sarney tanto lutou, teve a sorte de trocar a prefeitura de Cuiabá, onde enfrentava índices assombrosos de desaprovação, por um Ministério da Reforma Agrária. Inócuo, mas um Ministério.

Artur Virgílio, deputado amazonense, disputou o governo de sua terra contra a poderosa máquina de Gilberto Mestrinho e Amazonino Mendes. Quase ganhou. Talvez tenha vencido, mas tenha sido vítima de uma proverbial técnica de apuração de votos em que o derrotado ganha. O fato é que a boa retaguarda financeira de sua campanha foi oferecida por uma amiga íntima: Roseana.

Flávio Jussiani Ramos, rapaz com pouco mais de 30 anos, sósia de Bill Clinton, chegou pelas mãos de Roseana a diretor da CEF, Caixa Econômica Federal. Antes, no Planalto, era conhecido pelo curioso apelido de Assessor da Assessora, já que carregava a pasta de Roseana. Um belo dia, ao ser excluído de um "esquema" organizado pelo presidente da CEF, Paulo Mandarino, Jussiani recusou-se a assinar a ata de uma reunião de diretoria. Com isso, centenas de processos ficaram paralisados, empresas tiveram prejuízo, mutuários foram penalizados. Mandarino, muito amigo do presidente da República, exigiu a demissão do moço. Dias depois, foi ele, Mandarino, quem caiu. Quem mandava era a mandarina, ela.

Separação saiu cara pra todos nós

A união com Murad, iniciada em 1976, quando Roseana era uma gatinha de 22 anos, ia mal. Os comentários, tanto sobre incursões do marido no mundo dos negócios como sobre desavenças conjugais, eram cada vez mais frequentes.

Jorginho era figura fácil na noite brasiliense, sempre acompanhado nas mesas alegres do extinto restaurante Florentino. Ele já tinha sido submetido à humilhação de ser drasticamente interrogado pelos senadores José Ignácio, do Espírito Santo, e Itamar Franco, de Minas Gerais, na emblemática CPI da Corrupção. Foi, como sempre, frio, monossilábico e evasivo. Não conseguiu provar sua inocência em nenhuma das várias acusações que lhe imputaram.

Logo após, quando o governo do sogro já fazia água e os sucessivos pacotes econômicos afundavam um a um, Roseana resolveu partir. Na verdade, a saúde não estava boa, o casamento tinha acabado e ela havia reencontrado um grande amor da adolescência. Embora mais tarde, de todas as maneiras, seus assessores e companheiros de lides políticas tentassem omitir, Roseana viveu com Carlos Henrique Abreu Mendes.

Essa separação de Roseana e Jorginho também foi bancada com dinheiro público. Quer ver como?

Filha de Jânio conclui: "quem deve, teme"

O empresário Omar Fontana, dono da Transbrasil, cercado por um bando de picaretas conhecidos do mercado do *lobby* em Brasília, alguns ligados ao PFL, pleiteava colossal empréstimo, coisa de 40 milhões de dólares, no Banco do Brasil. Inadimplente histórico, o velho e legendário comandante encontrou todas as travas possíveis para a concessão de tal crédito. Aí seus lobistas tiveram a ideia de levar o pedido a Jorge Murad.

Em Brasília, não é segredo: a assinatura de um desquite amigável, sem escândalos, bem como a aceitação tácita de uma relação que já existia entre a ainda esposa Roseana e o secretário de Moreira Franco, Carlos Henrique Abreu Mendes, ficaram condicionados à liberação do crédito a uma empresa tecnicamente falida, como era o caso da Transbrasil. O empréstimo saiu. O que terá dado Fontana a Murad em troca de tão decisivo apoio? Comenta-se que algo em torno de 10 por cento de simpatia, amizade e gratidão.

Os senadores Itamar Franco, de Minas, José Ignácio, do Espírito Santo, e Carlos Chiarelli, do Rio Grande do Sul, bem como os deputados Fernando Gasparian e Tutu Quadros, de São Paulo, não tinham a menor dúvida do que fazia o primeiro-genro naquela época. Sarney dizia sempre que Jorginho não era casado com Roseana, era casado com ele, Sarney. Tutu, filha de Jânio Quadros que se notabilizou por denúncias de corrupção no governo Sarney — e na própria família — era amiga íntima do comandante Omar Fontana e do lobista Anchieta Hélcias, o operador-mor do PFL em Brasília e diretor da Transbrasil. Foi na Casa da Concórdia, mansão de Fontana nas cercanias do aeroporto de Brasília, que a deputada soube dos detalhes escabrosos da operação. Fontana pagou, mas não gostou nem do percentual nem da arrogância com que Murad tratava qualquer um.

Por essa época, 1988, Tutu Quadros foi ao Rio almoçar com Roberto Marinho. O dono da Globo, amigo de Jânio, vislumbrava no pai da deputada, então prefeito de São Paulo, um nome forte para a sucessão de Sarney. O "doutor" Roberto pediria naquele encontro que Tutu se reconciliasse com o ex-presidente, seu pai, com quem ela estava brigada. No aeroporto de Brasília, prestes a embarcar, a filha de Jânio cruza com Jorginho, que, apavorado, evita embarcar no mesmo avião. Tutu disparou em voz alta, para delícia de colegas deputados que viam a cena:

"Quem deve, teme!"

Com a papelada do desquite assinada, Roseana, já morando num apartamento da construtora Odebrecht no Rio, pôde exercer toda a sua generosidade. Conseguiu com o então governador fluminense Wellington Moreira Franco, o Gato Angorá no dizer de Leonel Brizola, a nomeação de Carlos Henrique para secretário de Meio Ambiente.

Esse novo casamento durou até fins dos anos 1980. Um dia Roseana e Jorginho voltariam a dividir o mesmo teto. Em 1994, ela era candidata ao governo do Maranhão. Ele, o tesoureiro da campanha. Nos anos de separação, havia se envolvido com a belíssima empresária Carmen Ruete, herdeira de uma usina de açúcar em São Paulo. Tiveram uma filha. Carmen precisou ir à Justiça para conseguir que Jorginho assumisse a paternidade. Mais tarde se darão bem. Mas havia toda uma conveniência para o recasamento de Roseana e Jorginho:

"Essa criança e a minha candidatura ao Senado foram a causa do novo casamento do meu irmão com Roseana", esbravejava Ricardo Murad, nos tempos em que infernizava a vida do casal. "Eles poderiam ter, simplesmente, anulado a separação, mas preferiram casar novamente, e com separação de bens. Evitaram que a filha dele herde a espetacular fortuna dos Sarney e impediram a eleição do maior inimigo que eles têm, que sou eu, que fiquei inelegível como cunhado da governadora."

Virou inimigo. Mas nos dias em que as togas supremas haveriam de trazer Roseana de volta, o deputado estadual Ricardo Murad, irmão de Jorginho, casado com Roseana, e irmão de Teresa, casada com Fernando Sarney, ocuparia a Secretaria da Saúde e talvez passasse a ser o mais fiel dos aliados do governo maranhense.

RAINHA DO CALHAU É
FISSURADA NO PANO VERDE

Quando Roseana deixou o Planalto e topou com o ex-namorado Carlos Henrique, estava deprimida. Resolveu viajar, correr mundo, divertir-se. E lá se foi para alguns dos lugares que ela mais ama: Monte Carlo, Atlantic City e Las Vegas. Se você acha que essas cidades têm algo em comum, acertou: ela adora jogar. Diante do pano verde, seus olhos verdes se integram em perfeita simbiose. O girar da roleta, o tilintar das fichas, a voz do crupiê, a emoção da aposta, naquele ambiente enfumaçado, suprem-lhe qualquer deficiência emocional. Isto já representou um trauma para a família, especialmente para José Sarney. Que, num discurso em 1993, chegou às lágrimas na tribuna do Senado, respondendo a uma nota da colunista Danuza Leão, que tratava das peripécias da moça por centros internacionais de carteado.

Às vezes, quando batia a fissura e não dava para atravessar o oceano, Roseana praticava uma espécie de política da boa vizinhança, prestigiando os cassinos do Paraguai. Ela, os irmãos e os amigos sempre puderam contar com o jatinho da família, um British Aerospace BAE 800, prefixo PP-ANA, registrado em nome de Mauro Fecury, suplente de Roseana no Senado e velho amigo de Sarney. Pai do deputado federal Clóvis Fecury, Mauro é dono do Centro Universitário Unieuro, no Maranhão, com filial em Brasília. A família seria sócia dessa universidade, cuja biblioteca se chama Roseana Sarney. O reitor é Luiz Roberto Cury — marido de quem? De Emília Ribeiro, ex-assessora de Sarney que, como conselheira da Anatel por indicação do padrinho, deu o voto de desempate na fusão das empresas de telefonia Brasil Telecom e Oi, negócio de mais de R$ 5 bilhões — com o quê, a BrOi passou a dominar quase metade dos acessos de dados no país (42,41%).

Outras vezes, ao voltar das jogatinas para São Luís, batia na turma uma vontade irreprimível de comer na Churrascaria Porcão, em Brasília. Os meninos mandavam o piloto aterrissar para matar a fome. Um desses pilotos que os levavam, antigo na aviação nacional, pediu demissão:

"O voo de ida e volta de São Luís para Assunção não era nada perto desses, digamos, pousos de emergência", diz ele, pedindo para não revelar o nome.

Ele quis dizer o seguinte: o pouso inesperado de um jatinho num aeroporto internacional, com o custo operacional completo, reabastecimento, aluguel de hangar etc., sai mais caro que o voo

São Luís-Assunção em si. O veterano piloto não suportou tais descalabros, foi embora.

Dizem os amigos que, se os adversários de Roseana soubessem de sua obsessão pela jogatina, poderiam fazer bom uso, porque ela seria capaz de largar tudo por uma mesa de pif-paf. Não deve ser exagero. Por causa desta insana paixão, Roseana abriu a temporada de escândalos com passagens aéreas no Congresso. Deu no *Jornal Pequeno*, combativo diário de São Luís do Maranhão, edição de 15 de março de 2009:

> "Maratona de jogatina reuniu pelo menos 10 pessoas. Roseana Sarney admite que 4 viajaram de São Luís a Brasília com sua cota do Senado."

A moça é realmente da pá virada. Um mês depois que o pai virou presidente do Senado, ela transformou a residência oficial da Presidência daquela Casa em cassino. Com carinha de inocente, quando o resto da mídia "descobriu" a farra, ela disse que passaram o sábado e domingo em "reunião de trabalho".

No passado, o *dolce far niente* internacional pelas rodas de carteado era bancado por um cartão de crédito com fundos ilimitados, emitido por um banco de Miami, o Schroder, segundo denúncia do *Jornal do Brasil* e da revista *Exame*. Dono da conta responsável pelo débito mensal desse cartão da felicidade: Edemar Cid Ferreira. Padrinho de casamento de Roseana e Jorge Murad, na Catedral da Sé de São Luís em 1976, onde Edemar conheceu a futura mulher.

Roseana e Murad, por sua vez, viriam a tornar-se padrinhos de casamento de Edemar Cid Ferreira com Márcia Costa. Filha de quem? Daquele senador Alexandre Costa, lembra-se? Um dos que estavam metidos no famoso rolo da gráfica do Senado em 1994 (esse político, famoso por sua violência, com base eleitoral na cidade interiorana de Caxias, morreria em 1998). Márcia é a maior amiga de Roseana, que — não se esqueça — também estava naquele mesmo rolo. É no ombro de Márcia que Roseana vai chorar mágoas, na mansão de 142 milhões de reais do casal, no chique bairro paulistano de Cidade Jardim, vizinhos do igualmente banqueiro Joseph Safra e do megaempresário Antônio Ermírio de Morais.

BRASIL ANIVERSARIA,
GOVERNADORA FAZ A FESTA

Dos quatro amigos, os que se deram mal de verdade por estripulias come-tidas foram os maridos. Jorginho, entre 1975 e 1976, foi escolhido pela Justiça como depositário da maquinaria de um tio falido. Pôs tudo num fenemê, levou para o vizinho Piauí e vendeu a um conhecido empresário de Teresina. Foi preso dias depois como "depositário infiel", com direito a algemas, nota em jornal e cela comum. Quem o livrou das grades foi um amigo velho de quem falaremos mais no Capítulo 9, AC Rebouças.

Já com Edemar, o buraco é mais em cima. Por causa de um rombozi-nho que seu banco provocou no sistema financeiro, acusado de forma-ção de quadrilha e outros bichos, amargou em 2006 quase três meses de cana dura, em presídio de segurança máxima. Foi solto por uma liminar concedida por uma toga amiga no Supremo, preso de novo no começo de dezembro e, enfim, solto no apagar das luzes daquele ano. O mesmo Edemar, segundo o *Jornal do Brasil*, seria sócio de Murad num banco do Caribe, o Claymore Bank, possível destino de centenas de milhões de dólares que teriam conseguido em excelentes negócios à sombra do go-verno do sogro de um e amigo do outro, o presidente José Sarney.

Apesar de casada em regime de separação total de bens, a mulher de Edemar aparecia, contra a lei, como acionista principal de mais da me-tade das empresas da família e detentora da maior parte do patrimônio financeiro, naquela altura não totalizado porque algumas empresas ti-nham sede em paraísos fiscais.

Adalberto Franklin, jornalista piauiense fixado no Maranhão, rastreou o passado do ex-banqueiro, quando ele foi preso numa sexta-feira, dia 26 de maio de 2006. Edemar estava para completar 63 anos — nasceu em 1943 na cidade litorânea paulista de Santos, daí o nome de seu negócio, Banco Santos. Naquela altura, ressaltou Franklin em seu *blog*, Edemar mantinha havia 30 anos "uma conexão que o prende ao Maranhão", iniciada justamente ao apadrinhar o casamento do casal Roseana-Jorginho Murad.

No início de 2004, contou o jornalista, o Banco Central "verificou que os ativos do Banco Santos não davam para cobrir nem 50% das dí-vidas com seus credores, o que, por lei, é motivo de liquidação". Observa

Franklin como é que os técnicos "delicadamente" chamam o rombo provocado por Edemar à frente de seu estabelecimento: "passivo desco-berto". Se você não quiser usar de "delicadeza", pode chamar de ladroa-gem. Mais de 2 bilhões e 200 milhões de reais. Daria para comprar uma frota de 88 mil automóveis Fiat Palio. Ou erguer uma cidade com 44 mil casas, para mais de 100 mil habitantes, que tal?

O Banco Central decretou intervenção no Banco Santos, mas logo concluiu que "não havia alternativa senão decretar a falência". Nas pala-vras do promotor de Justiça Alberto Camiña Moreira, que assinou o pedi-do, descobrimos que na verdade Edemar além de banqueiro desastrado era um *promoter*: usava as dez empresas ligadas a ele e seus parentes para "promover fraudes e confusão patrimonial". E *promoter* mesmo, sem iro-nia: no meio das falcatruas, promoveu o maior acontecimento do gover-no FHC — o *Brasil+500: A Mostra do Redescobrimento*, no ano 2000.

A festança correu o país e não poderia deixar de chegar ao Maranhão. Que festança em São Luís! Roseana governava, em seu segundo mandato. Para receber a Mostra organizada pelo padrinho de casamento, gastou mais de 4 milhões e meio de reais, entre reforma e adaptação do tri-centenário Convento das Mercês, mais uma fontezinha de dinheiro do clã, já veremos.

Edemar e outros 18 ex-dirigentes do Banco Santos foram denuncia-dos por lavagem de dinheiro, formação de quadrilha, gestão fraudulenta e evasão de divisas.

Mas onde entra José Sarney nessa história? Ele está metido, sim. O que aprontava em 2004? Era, adivinhe, presidente do Senado. Que fez pelo amigo banqueiro que chegou a ser chamado de PC Farias do Sarney? Se você perdeu este episódio da história brasileira recente ou não se lembra direito, PC Farias era o alagoano Paulo César Farias, "tesoureiro" de Fernando Collor nos idos de 1989, na campanha da primeira eleição presidencial depois da ditadura militar (1964-1985). O antigo Paulo Gasolina, que começou a carreira trapaceando com combustíveis, mes-mo depois de Collor eleito presidente seguiu achacando empresários a contribuir com o bilionário cofre de Fernando Collor.

Sarney, ao saber da decretação de intervenção no Banco Santos, não teve pejo de interceder junto ao presidente Lula para conseguir a suspensão da medida. Como não conseguiu, tratou de relaxar e gozar. Na véspera da intervenção, já encerrado o horário de expediente, o senador da República José Sarney conseguiu transferir para o Banco do Brasil 2 milhões de reais que mantinha aplicados no Banco Santos.

Transação indecorosa, a escancarar que houve informação privilegiada e tráfico de influência, operação impossível para milhares de outros aplicadores e correntistas.

Se não houver outra coisa, Roseana rouba a cena. No dia 16 de abril de 2009, antes mesmo que as supremas togas lhe devolvessem "seu" Palácio dos Leões, já tomava o jatinho PP-ANA de volta ao "seu" Maranhão. Todos os holofotes então esqueciam o pai dela, o Senado e suas pequenas, grandes e médias sujeiras, e se voltavam para a Princesa do Calhau. Ela voava com um vinco de preocupação que lhe toldava o semblante toda vez que se lembrava das 1.500 pessoas — quilombolas, índios, membros do MST, militantes de partidos políticos, deputados — que, desde vésperas, passaram a ocupar os jardins internos de "seu" Palácio. Aquela gente suja, imunda — ela se pergunta se não seria necessário reformar tudo de novo, como fez durante seu primeiro mandato, quem sabe apenas promover uma faxina.

No dia seguinte, sexta-feira, enquanto o pai, em sua coluna da *Folha de S. Paulo*, mostrava-se condescendente, até carinhoso para com a corrupção, Roseana rumava, escoltada, para o Tribunal Regional Eleitoral, presidido pela titia, Nelma Sarney, a fim de receber o diploma de governadora do Maranhão.

É DURA A VIDA
DE UM SEM-TOGA

O clã começou a puxar o tapete sob os pés de Jackson Lago tão logo as urnas se abriram no fim de outubro de 2006, dando-lhe a vitória. A gente não pode esquecer que Jackson, três vezes prefeito de São Luís, que concentra um terço do eleitorado maranhense, teve ali 66% dos votos na eleição de 2006. Em Imperatriz, região tocantina, ele recebeu nada menos que 76%, três quartos do eleitorado. Nesses dois lugares a eleição teve sabor plebiscitário: o povo queria mesmo se livrar da sarna Sarney.

Imediatamente, os derrotados chamaram seus advogados e entraram com processo de cassação do vencedor, por "abuso do poder", tal como "beneficiar-se de convênios do Estado com prefeituras durante o período eleitoral" e "comprar votos".

O Sistema Mirante não deu sossego a Jackson um só dia, durante os dois anos seguintes à sua posse em 1º de janeiro de 2007. Um bombardeio, uma campanha de intimidação e de preparação do povo para a volta "inevitável" de Roseana, como explica o historiador Wagner Cabral da Costa:

"Desde janeiro de 2007, sistematicamente os meios de comunicação da família diziam 'cuidado, o processo dele está sendo julgado pelo Supremo'. Ou seja, a imagem de Sarney no Maranhão é a do homem que precisa ser temido. É um grande fantasma. Alguns colegas meus diziam na época da campanha que as pessoas não votavam em outros candidatos por medo. A imagem do medo estava colocada."

O grupo dos vencedores festejava com Jackson "o fim da oligarquia" sem atentar para um detalhe fundamental: diante dos Sarney, eles não passavam de uns pobres-diabos, um grupo de sem-toga.

Falta uma semana para o Natal de 2008. Os juízes do Tribunal Superior Eleitoral, TSE, votam pela segunda vez a cassação de Jackson Lago. A turma de Roseana se reúne nos jardins da mansão de Sarney na Praia do Calhau. A decisão é considerada o "presente de Natal" de Roseana. Começa a votação, e o ministro Eros Grau, relator do processo, pronuncia-se a favor da cassação de Jackson. Ouve-se um grito nos jardins:

"Essa toga é nossa!"

Rojões espoucam. Perto da aposentadoria, Eros Grau sonha naquele momento com uma cadeira na Academia Brasileira de Letras, como lhe prometeu José Sarney. Serve também uma vaga na Corte de Haia. Poderá então morar no apartamento que tem em Paris, decorado logo no vestíbulo com uma escultura em tamanho natural que representa ele e a mulher caracterizados como Adão e Eva no paraíso.

O presente de Natal acabou adiado porque um juiz pediu vistas do processo. Então, no meio de março de 2009, enquanto Jackson e seus correligionários sofriam um suspense com a votação final que se aproximava, o pai de Roseana rumava para o Amapá, a propósito das comemorações do 19 de março, dia do padroeiro do Estado, São José. E a pessoa com quem Sarney ia encontrar-se em Macapá para um amigável café-da-manhã, lá no meio do planeta, nem em sonho toparia manter um encontro com Jackson Lago.

Tratava-se do presidente do Supremo Tribunal Federal, o empresário Gilmar Mendes, um dos três donos do Instituto Brasiliense de Direito Público, IDP. Os outros dois sócios eram Paulo Gustavo Gonet Branco, procurador regional da República, e Inocêncio Mártires Coelho, último procurador-geral da República da ditadura, nomeado pelo general João Baptista Figueiredo. Faziam parte da turma de professores do IDP vários colegas de Gilmar no Supremo, entre eles Carlos Alberto Direito, Carlos Ayres Brito, Eros Grau, Marco Aurélio Mello, Carmem Lúcia Rocha.

Na política nacional, difícil é a vida de um sem-toga. Jackson Lago, enfim seria vítima do golpe judiciário, esbulho consumado em 15 de abril de 2009. Essa expressão — golpe judiciário — usada pelo advogado Francisco Rezek durante toda a defesa de Lago, deixou Sarney espumando. Depois do julgamento, o velho coronel mandou uma carta irada ao ex-presidente do TSE. Dizia que o advogado lhe "devia" a indicação para o Supremo, aos 39 anos, durante o governo de João Figueiredo, usando a condição de presidente do PDS, e que não admitia "tamanho insulto". Rezek respondeu que nada lhe devia e que isso não era verdade.

Este é um capítulo rosa-choque, mas cabe aqui abrir parênteses e falar de um "cabra macho".

Coronel Chico não
lhe chegaria aos pés

A carta enviada a Rezek revela que Sarney guarda ranços do coronelismo dos tempos de Chico Heráclio. A partir de Limoeiro, Chico Heráclio fez valer sua influência em Pernambuco, também na Paraíba, nas décadas de 1950 e 60. O coronel pernambucano pelo menos era ostensivo.

Costumava dizer que "oposição e sapato branco só é bonito nos outros". Quando comparecia aos julgamentos, juiz e jurados ficavam de olho na gravata dele. Se vermelha, tinham de condenar o réu. Se verde, o sujeito estava absolvido. Mas, e se fosse amarela a gravata? Aí, tudo bem, julgassem como quisessem: o coronel só estava ali a passeio. Pode ser lenda, pode não ser. Sarney tem saudade daqueles tempos. Não precisava ter. Ele vai além, ele é pós-Chico Heráclio.

Francisco Rezek também ironizou, durante o julgamento de Jackson Lago, a celeridade incomum do processo. O vice-procurador eleitoral Francisco Xavier Filho mereceria o epíteto de *The Flash*: leu os volumes com 15 mil páginas em apenas 16 dias. Dá coisa de uma página por minuto, isso se não dormisse, não comesse, sequer fosse ao banheiro. E encampou a tese da acusação. Num parecer de 15 páginas, recomendou a cassação do governador e do vice, e a posse de Roseana e João Alberto de Souza, o Carcará.

Entrementes, Sarney livrou-se de um processo que pedia a cassação dele e do governador do Amapá, Waldez Góes. A decisão do ministro Fernando Gonçalves, do mesmo TSE, entrou para a história. Fernando Gonçalves sustou o processo, por conta própria, por falta de custas para extração de fotocópias. Leia o despacho, se duvidar, no *Diário da Justiça* de 6 de abril de 2009.

Chico Heráclio tinha era muito a aprender com o pai de Roseana.

ELEONORA GOSTA
QUE SE ENROSCA

Tão difícil quanto a vida de um sem-toga é a vida de um sem-mídia. Quando Jackson Lago entrou com recurso no Supremo Tribunal Federal e afirmou que aguardaria a decisão da Corte em palácio, de onde só sairia "arrastado", *O Globo* o acusou de promover "uma quartelada" — transformando o golpeado em golpista. O mesmo *O Globo* em que, paradoxalmente, a colunista Miriam Leitão chamou de "grotesca" a decisão da Justiça Eleitoral de cassar o vencedor e, em vez de dar posse ao vice, entregar o cargo à perdedora Roseana — Miriam comparou a situação com o *impeachment* de Fernando Collor em 1992: quem assumiu foi seu vice Itamar Franco, e não o perdedor Luiz Inácio Lula da Silva.

A *Folha de S. Paulo* já tinha feito melhor por Roseana. No dia 7 de dezembro de 2008, a edição de domingo publicou uma chamada no ponto mais nobre da primeira página — o canto esquerdo no alto. "Uma bomba na cabeça", dizia o título. O textinho acrescentava:

"A senadora Roseana Sarney, 55, fala sobre o diagnóstico de aneurisma cerebral e se prepara para sua 21ª cirurgia."

Para disfarçar o objetivo político ali embutido, a editora-executiva Eleonora de Lucena jogou o material para a seção Saúde, onde Roseana posa sorridente em foto que toma a página de alto a baixo. A "reportagem", de Amarílis Lage, levanta a bola de Roseana, mostrada como "corajosa".

Mas é o caso de perguntar: como pode alguém que está com "uma bomba na cabeça" esbaldar-se no carnaval? Pois foi no camarote do governo fluminense que Roseana sambou madrugada afora, ao lado do irmão Fernando, o procurado pela Polícia, causando — segundo notas nos jornais — constrangimento ao presidente Lula, que ali estava como convidado do governador.

Eleonora de Lucena tem um quê pela família de José Sarney, prata da casa, dono da coluna da página 2 da *Folha* às sextas-feiras. Em 2002, quando crescia a candidatura de Roseana a presidente da República, a editora-executiva vetou reportagem feita por um enviado especial ao Maranhão. Contava em detalhes o episódio, aqui neste capítulo narrado, em que Jorge Murad, depositário infiel, acabou preso.

"Isso é machismo", justificou a jornalista.

Eleonora pôde mostrar seus préstimos novamente quando a barra ficou pesada para o clã, com a divulgação dos crimes de Fernando Sarney, descobertos pela Polícia Federal na Operação Boi-Barrica, em outubro de 2008. O jornal até publicou a transcrição das fitas que a Polícia gravou e o conteúdo da investigação. Mas a reportagem que aprofundava o impacto da operação policial no seio do clã, escrita pela enviada especial Elvira Lobato, Eleonora enfiou numa gaveta e lá a esqueceu.

Graças a Eleonora, o pai de Roseana ganhou um palco inestimável em 26 de agosto de 2008. Eleonora tem faro para o *timing*. A Polícia Federal fechava o cerco a Fernando Sarney e podia meter-lhe as algemas a qualquer momento. Para o pai, com a autoestima abalada, não podia vir em melhor momento a Sabatina Folha, tendo como atração "o senador José Sarney", no sofisticado Pátio Higienópolis, sob a escolta de recepcionistas selecionadas com esmero. Na sua insaciável busca de limpeza da própria biografia, Sarney teve um refresco naquela manhã.

Com Ana Maria
NÃO TEVE PAPO

No embalo da memória, vendo na entrada do Teatro Folha as gazelas de conjunto preto, *blazer* e calças compridas alinhadas, todas de cabelos compridos, todas altas e todas elegantes, o velho senador, nostálgico de tempos melhores, lembrou-se de Ana Maria Roiter.

Ana Maria era uma relações-públicas com *status* de chefe de cerimonial da Globo no começo dos anos 1980. Em matéria de charme e beleza, batia todas aquelas meninas juntas. José Sarney, que então desfilava sua recente imortalidade pelos corredores da Vênus Platinada, a sede da emissora no Jardim Botânico, se derretia quando Ana Maria, mais imponente que a Estátua da Liberdade, ia recebê-lo. Naqueles tempos, Roberto Marinho era ligado em José Sarney, que ganhou mais pontos no *ranking* de sua admiração por ter batido dois consagrados escritores brasileiros, Orígenes Lessa e Mario Quintana, e chegou aonde ele sempre sonhou chegar: a Academia Brasileira de Letras. Não importa que métodos e influências tenha usado. O fato é que, parafraseando Chico Buarque, Roberto Marinho dizia, sempre que ele chegava em seu gabinete da Vênus Platinada, escoltado por Ana Maria Roiter:

"Olha aí, o meu guri!"

Toda a *entourage* do "doutor" Roberto sabia que Ana Maria era a musa de Sarney, mas ela não lhe dava a mínima. O senador tinha lá suas esperanças. Talvez o jaquetão de seis botões, de agente funerário, que ainda ostentava, amolecesse um dia o coração da moça. Ou quem sabe a tintura que lhe dava um estilo asa-de-graúna calasse fundo na alma da musa, uma tintura natural que lhe passou havia anos o jornalista Napoleão Saboya. E Sarney achou que seus sonhos poderiam concretizar-se em Nova York — o senador delirava só em pensar na realização de seu fetiche sexual: lambidas em seu hálux, ou, na linguagem popular, o dedão do pé. E rumou esperançoso para a capital do mundo ocidental, entre os convidados da Globo para a entrega de um daqueles prêmios internacionais, em tempos de boca-livre total.

Sem brincadeira: Sarney nesse dia vira marimbondo de fogo. Toma umas doses de uísque a mais e não dá trégua a Ana Maria Roiter nem na cerimônia de entrega do prêmio, nem depois, no hotel em que os convidados se hospedam. Segue no vácuo de Ana Maria no elevador e no corredor que leva aos quartos. E aplica o velho golpe do pé na fresta da porta quando ela vai fechála, irritada mas mantendo calma absoluta. Pela fresta, só aparece meio rosto de Ana Maria, meio esportiva. Sarney ainda tenta argumentar:

"Mas... Ana Maria..."

Sem a menor cerimônia, Ana Maria sapecou-lhe:

"Senador: PDS não!"

E bateu a porta na cara do imortal. Não é boa lembrança, esta.

Marly achou que São Paulo fosse seu feudo

Melhor pensar em Marly, a devotada, ou em Kyola, a extremosa. Marly, companheira há 57 anos, capaz de, em público, no Rio de Janeiro, abaixar-se durante uma cerimônia na igreja da Candelária e amarrar o cadarço do sapato do marido, que se soltou. E capaz de, em público, promover uma saiajusta federal. Ia acontecendo no primeiro encontro entre dois Josés, Serra e Sarney, anos depois do famigerado Caso Lunus, em 2002. O mentor da operação policial que derreteu a candidatura de Roseana à Presidência da República havia sido o então ministro da Saúde de Fernando Henrique, José Serra, que escalou para a tarefa o policial federal Marcelo Itagiba. Que ironia! Seis anos depois, Itagiba, agora deputado federal, presidiria uma CPI dos Grampos.

Quanto a Serra, já governador de São Paulo, em agosto de 2007 passou uma camada de óleo de peroba no rosto e, com a mesma cara-de-pau com que um ano e meio depois sinalizaria apoio a Sarney para a presidência do Senado, compareceu à badalada pré-estreia de *O Dono do Mar*, com todo o elenco do filme dirigido por Odorico Mendes, que levou dez anos para ser concluído, baseado naquela que é uma das 60 obras do acadêmico. No saguão do HSBC/Belas Artes, na Rua da Consolação, Marly Sarney confessou que, apesar de sua notória finesse, sentiu por alguns segundos o impulso de expulsar o governador paulista do recinto. Foi por um triz. O marido, lembrando-lhe que não estavam em seus feudos, conseguiu contê-la.

Mas ele gosta de seus defeitos igualmente. Oliveira Bastos, paraense de Peixe-Boi, conhecido como Desbocado do Planalto, era uma espécie de preceptor intelectual do casal. Poderia ter sido um desfrutável bobo da corte de Sarney. Mas sua sólida cultura, aliada a uma incontida ironia, fazia dele uma poderosa eminência parda na corte. O que não o impediu de passar por maus bocados. Certa vez, no Palácio da Alvorada, José Sarney quis saber do amigo o que achava de seu governo, logo depois do naufrágio do Plano Cruzado em 1986. E pediu a Oliveira Bastos que usasse de sinceridade.

"É uma merda, Zé", respondeu Bastos.

Em segundos, diante do atônito presidente da República, o irreverente jornalista era levado à porta principal pela ciosa primeira-dama. Estava expulso do Palácio. Deu-se por sortudo. Segundo Nicinha Lobão, deputada pelo DEM, ex-PFL, mulher de Edison Lobão, o pior negócio do mundo é trair os Sarney:

"A vingança vem a frio, por terceiros. Ao som dos atabaques nos terreiros de São Luís."

Todos os maranhenses sabem que o protetor espiritual de Sarney nos terreiros de macumba é o pai-de-santo, comendador da República

Federativa do Brasil Wilson Nonato de Souza, Mestre Bita do Barão, o mago de Codó. De mandinga brava safou-se Oliveira Bastos por dizer que o rei estava nu. Mas tinha razão.

"O POVO NÃO AGUENTA SARNEY ATÉ NOVENTA!"

Dona Marly, como toda mulher ciumenta dos seus, só tinha olhos para os belos olhos do marido e de seus pimpolhos. Não via o que o companheiro de mais de três décadas estava fazendo com seu país e sua gente.

O governo Sarney (1985-1990) tentou salvar-se do naufrágio segurando-se no Plano Cruzado (o Cruzado substituiu o Cruzeiro). É um plano eleitoreiro de impacto com base na inflação zero, baixado em fevereiro de 1986. Surgiram os "fiscais do Sarney", figuras do povo que acreditavam no tabelamento de preços imposto pelo governo trapalhão. Eles saíam pelos estabelecimentos com o broche de identificação, "Sou fiscal do Sarney", a denunciar diante das câmeras de tevê quem aumentava preços. E afundou-se o governicho de vez no Plano Cruzado II, seis dias depois de o governo faturar a maior vitória eleitoral da história da República, em 15 de novembro: elegeu 21 de 23 governadores. Com salários congelados durante nove meses, o povo foi obrigado a arcar com os seguintes aumentos num só dia:

- 60% na gasolina;
- 120% nos telefones e energia;
- 100% nas bebidas;
- 80% nos automóveis;
- 45% a 100% nos cigarros;

Veio reação. Com o Plano Cruzado II, em 21 de novembro de 1986, explode manifestação em Brasília, o Badernaço. No dia 27 houve saques, depredações e incêndios. Atônito, Sarney mandou os tanques Urutus para as ruas. Acuado, recorreu ao Exército para fazer o trajeto entre o Palácio do Planalto e a Catedral. Ajoelhou, tinha que rezar.

As manifestações contra o velho coronel começaram desde a decretação do chamado Cruzadinho, em fins de julho de 1986, quando houve aumento de preços de carros e combustíveis em 30%, enquanto o governo alardeava a tal inflação zero. Também se pode dizer que o governo Sarney acabou em 25 de junho de 1987, quando uma multidão enfurecida abordou o ônibus do presidente no Paço Imperial, na Praça XV, centro do Rio, gritando:

"Sarney, salafrário, está roubando o meu salário!"
"Sarney, ladrão, Pinochet do Maranhão."

Arrebentaram a janela do lado em que se encontrava Sarney, ferindo-o levemente na mão. O governo federal passou a acusar o ex-governador do Rio, Leonel Brizola, pelo "atentado". O partido de Brizola, PDT, junto com o PT e a CUT, Central Única dos Trabalhadores, tinham organizado a manifestação.

Logo, o "entulho autoritário" da ditadura em peso foi desenterrado. Sarney, com apoio do PMDB, valeu-se da Lei de Segurança Nacional para invadir residências e prender gente sem mandado judicial. A Rede Globo responsabilizou Brizola pelo episódio em editorial do Jornal Nacional. *O Globo* aproveitou para pedir a cassação do ex-governador do Rio de Janeiro em editorial no alto da primeira página intitulado *A Opção pelo Crime*.

Os fatos soterraram a encenação. No 1º de julho de 1987, uma semana depois do incidente, o centro do Rio virou chamas e restos: 60 ônibus incendiados e 100 com vidraças e carrocerias destruídas. As passagens de ônibus subiram 49%, em pleno congelamento de três meses, decretado 19 dias antes por Sarney, em novo pacote, agora chamado Plano Bresser. Uma massa enfurecida, 30 mil pessoas, fez o estrago. A polícia prendeu cem. No fim da tarde o preço das passagens voltou ao que era antes.

A partir daí, onde Sarney aparecesse era acompanhado de vaias e xingamentos. A revista *Veja* de 8 de julho de 1987 relata:

Aconteceu de novo, sem pedradas e vidros quebrados. Na sexta-feira passada, cercado por 1.200 soldados do Exército, policiais militares e federais, protegido por cerca de cordas, o presidente José Sarney passou outra vez pelo constrangimento de ouvir vaias e insultos. Estava em Rio Branco.

"Acre também, Brasil
Ei, ei, ei, fora Sarney,
o povo não aguenta
Sarney até 90", gritavam os acreanos.
O aparato de segurança, inaugurado para as viagens do presidente,
desta vez funcionou para protegê-lo do contato físico dos manifestantes.

Nunca mais Sarney pôde encarar a massa, o povo. O ex-ministro Bresser Pereira, o do Plano Bresser, costumava dizer que o governo Sarney durou apenas dois anos. Deve ter acabado naqueles momentos. Dona Marly expulsou Oliveira Bastos injustamente, o jornalista poderia ter sido até mais incisivo. O coronel afasta tais lembranças. Melhor pensar naquela que o gerou e pôs neste mundo.

KYOLA, A INDECIFRÁVEL, A QUE O FAZIA EMUDECER

Ela paira acima das fraquezas desse pobre filho meio desamparado naquela segunda-feira, primeiro dia útil de um mês carnavalesco, fevereiro. Num 2009, ano em que — para historiadores é bom lembrar — o carnaval caiu no começo de março, uma raridade.

O desembargador Sarney Costa teve três filhos com Kyola: José, Ernane e Ronald. E outros onze filhos com certa Anita. Quando morreu, Sarney Costa foi velado uma noite na casa de Kyola, outra na de Anita. As duas viúvas estavam juntas no enterro. Kyola morou até o fim numa casa simples, de chão batido. Jamais se cobriu de adereço algum. Diante dessa mãe, Zezinho emudecia.

ALEXANDRA, A GRANDE, MAIOR ATÉ QUE ROSEANA

Há mulheres que unem, há mulheres que desunem, chegam a apartar pai de filho. O velho coronel, no dia em que percebe o chão meio escorregoso sob os pés, sente um estremecimento ao lembrar-se da nora que não teve. Única criatura que ousou pôr o dedo na cara de Roseana. Chama-se Alexandra Tavares, nascida Alexandra Cruz, em 1973, num lugar pobre do Distrito Federal, a cidade-satélite de Gama.

Corre o ano de 1992. A mocinha de 19 anos é aeromoça do avião particular de uma empreiteira. Numa das viagens, entra um moreno, cinquentão bem apanhado, esbelto, sem barriga. Tinha sido ala de um time de basquete na mocidade. A mocinha e o cinquentão, 34 anos mais velho, trocam olhares de entendimento. Ela ainda não sabe que vai ter um caso com o futuro vice-governador do Maranhão e, dois anos depois, com ele estará casada e será primeira-dama do Estado. O moreno galã chama-se Reinaldo Tavares, está com 53 anos, é casado, e na sua terra, quando ele passa, o povo diz:

"Lá vai o quarto filho do Sarney."

Formado em engenharia, Reinaldo Tavares foi ministro dos Transportes no governo de José Sarney, que, é mesmo verdade, o considerava como filho. Eleito vice na chapa de Roseana em 1994, Reinaldo ainda dá um tempo no casamento. Mas, menos de um ano depois, joga pela janela uma união de 27 anos e quatro filhos, para casar com Alexandra.

Não demorou para acontecer a primeira encrenca com a nova "nora" de Sarney. Reinaldo tentou fazer da jovem mulher sua chefe de gabinete. Levado o ato de nomeação ao gabinete da governadora, ela simplesmente não o assinou. Comprou uma briga com a "cunhada". Alexandra guardou o ressentimento na geladeira e esperou.

Passam oito anos. Em 2002, na sucessão do segundo mandato de Roseana, o marido de Alexandra se elege governador. Agora, a caneta que assina nomeações está nas mãos dele. Mas, no Palácio dos Leões, para o casal parece que nunca vai chegar o dia de dizer — "enfim sós".

Reinaldo nomeia Alexandra secretária extraordinária de Solidariedade Humana e lhe garante uma vaga no Comitê de Política Orçamentária. Mas a família Sarney só falta entrar na alcova do primeiro-casal do Estado. Há mil articulações cruzando os ares. Roseana à frente, como se continuasse tudo como dantes no "seu" Palácio.

O historiador Wagner Cabral relembra:

"Roseana queria manter seu grupo próximo dos cargos, dar a direção política do governo, organizar os contratos, antes centralizados nas mãos do marido dela. Queria participar dos contratos. Isto vai gerando um problema político dentro do governo Zé Reinaldo, porque ele tinha passado a vida inteira à sombra e queria agora ter, talvez, um pouquinho de autonomia para poder governar. Isso vai se somar aos problemas derivados da esposa."

Roseana tinha projetos pessoais a atropelar a governança de Reinaldo e sobrepor-se ao próprio governo. O principal projeto era uma "gerência administrativa metropolitana", que açambarcaria o dinheiro destinado a obras na Grande Ilha — os quatro municípios que compõem a Grande São Luís. O objetivo a médio prazo era alavancar a candidatura do cunhado Ricardo Murad, irmão de seu marido Jorge, à prefeitura da capital. Sempre tudo em família, oligarquia, governo de uns poucos, dos ricos, como diz o *Dicionário de Política* de Norberto Bobbio, nomenclatura que Sarney repeliu em reportagem da revista *Carta Capital*, como vimos na abertura do Capítulo 6, dizendo ao repórter Sergio Lírio que o clã é tudo gente "de classe média". Mas, no momento em que Roseana tentava intrometer-se no governo Reinaldo Tavares, havia mais:

"Sem contar os interesses em torno da construção de uma siderúrgica no Maranhão, projeto da Vale do Rio Doce", acrescenta Wagner, "que Roseana queria controlar pessoalmente, ganhando os dividendos de trazer para o Estado o que ela chamava de revolução industrial."

Alexandra assistiu de camarote à derrocada de todos esses planos de Roseana, que apanhou feio na eleição de 2004 para a prefeitura — o cunhado Ricardo Murad ficou com apenas 8% dos votos. Reinaldo, com o poder da caneta que nomeia, que assina convênios, que transfere, que enfim governa, passa a aceitar para sua sucessão em 2006 qualquer nome. Podia ser o Zequinha Sarney, Edison Lobão, o juiz do Superior Tribunal de Justiça Edson Vidigal, qualquer aliado de Sarney — menos a desafeta de sua mulher Alexandra, com quem teve três filhas, duas delas gêmeas.

José Sarney estava perdendo o "quarto filho" junto com a nora que não teve e que, ao contrário de sua filha de verdade, caía no gosto popular. Alexandra passou a cortar as asas de Roseana e seu grupo. Logo surge um apelido de dar inveja em Roseana: Alexandra, a Grande. Dava festas em palácio, na academia de ginástica transformada em casa noturna para os chegados. Quando lhe perguntavam sobre essa badalação toda, tinha uma resposta carregada de ironia na ponta da língua:

"Se estivesse roubando, diriam que sou uma festeira?" Desfilou na Escola de Samba Unidos do Túnel do Sacavém, com as três filhas e o marido governador. Participou da primeira Parada Gay de São Luís. E, para deixar bem claro quem ela era, assumiu o apelido, desfilando no carnaval fantasiada de gladiadora.

O casamento não resistiu ao tiroteio do Sistema Mirante. Mas, para o povo maranhense, a morenaça Alexandra, a Grande, é a mulher que, de dedo em riste e aos brados, pôs para correr do Palácio dos Leões Roseana, a Branca:

"Aqui quem manda é o meu marido."

Capítulo 9

Batcaverna em polvorosa: a polícia chegou

Tudo vai bem, até Serra atirar no que viu e acertar no que não viu • "Seu maior inimigo é você mesma" • 27 mil notas de 50 no JN • Ficaram desnorteados, queriam criar dois Maranhões • Uma sinecura para tio Gaguinho

Dos 56 cargos federais existentes no Maranhão durante os dois mandatos de Luiz Inácio Lula da Silva na Presidência da República, entre 2003 e 2009, 54 pertenciam à "cota" de José Sarney. O partido do presidente da República, Partido dos Trabalhadores, conseguiu nomear apenas dois. Não precisava ser analista político para concluir que Lula era como que refém de Sarney e seus honoráveis. Bastava lembrar o episódio em que a ministra chefe da Casa Civil, Dilma Rousseff, vetou Lobão para o Ministério das Minas e Energia. Sarney anunciou por todos os quadrantes, por todas as mídias, que entrava "em férias", ao que Roseana declarou que acompanharia papai, ao que toda a base parlamentar obediente a Sarney sinalizou que se tratava de férias coletivas. Ou seja, o parlamento parava, a máquina administrativa emperraria — cairia o sistema, como se diz em informática.

No 2 de fevereiro de 2009, ao chegar ao máximo cargo do Congresso, Sarney controlava também áreas do Ministério dos Transportes, dominava a energia de ponta a ponta, preparava-se para, com ajuda de suas togas, derrubar o governador eleito pelo povo maranhense e pôr no cargo a própria filha, que havia perdido as eleições de 2006 para Jackson Lago.

Mas, pensa o velho coronel naqueles momentos, até quando minha caneta terá tanta tinta quanto a caneta do presidente da República? Sua cabeça remói fatos recentes que insistem em trazer à tona da memória desagradáveis momentos que sua Roseana viveu na campanha de 2002, que elegeu justamente o presente presidente Lula.

"Quem disse isto é um mentiroso"

Aquela campanha teve *revival* numa tarde de quinta-feira, 4 de dezembro de 2008, quase exatamente dois meses antes da chegada de Sarney à presidência do Senado. No elegante Instituto Fernando Henrique Cardoso, na ex-sede do Automóvel Club, no centro paulistano, dá-se um debate sobre a CPI dos Grampos, com a presença de seu presidente, deputado carioca Marcelo Itagiba, do PMDB, o partido de Sarney.

> "O senhor comandou, a mando do ministro José Serra, a operação da Polícia Federal na Lunus, que deu na queda de Roseana Sarney na corrida presidencial?"

Minha pergunta, mesmo previsível, parece ter desconcertado Marcelo Itagiba. O deputado, menino rico que se tornou policial por vocação, delegado da Polícia Federal, tinha acabado de participar do debate sobre "usos e abusos do grampo telefônico", e até ali, de pé, com as proporções de um armário vestido de terno, respondia com tranquilidade a perguntas na entrevista coletiva que se seguiu.

> "Quem disse isso é um mentiroso!"

O "mentiroso", que quase fez o deputado perder as estribeiras — na juventude, ele cavalgava na Hípica carioca —, nem estava na seleta plateia, embora tenha recebido convite. Só podia ser o jornalista Paulo

Henrique Amorim, que durante aquela semana vinha repisando, na internet, perguntas que sua Conversa Afiada pretendia fazer no debate, três das quais remontavam ao Caso Lunus, arrematadas com um irônico *"the right man in the right place"* — o homem certo no lugar certo. Como Paulo Henrique não apareceu, aí vão as perguntas que ele não fez:

"O que o senhor fazia quando era do Serviço de Inteligência do Ministério da Saúde, na gestão José Serra?"

"Qual o seu papel na Operação Lunus, quando a Polícia Federal desmontou a candidatura de Roseana Sarney à Presidência da República, em 2002?"

"Foi o senhor que mandou aquele fax ao Palácio da Alvorada, concluída a Operação Lunus, que dizia missão cumprida?"

O assunto — indigesto para o ex-secretário da Segurança do ex-governador fluminense Anthony Garotinho — também era do meu interesse.

"O senhor estava no Maranhão quando houve a operação?", perguntei.

O assessor da Companhia de Notícias, que trabalha para o instituto, já o conduzia do auditório para o corredor tomado por pôsteres gigantes do ex-presidente FHC, mas Marcelo Itagiba voltou-se para dizer um sonoro "não", e ouvir minha pergunta seguinte.

"Houve aquele fax para a Presidência da República?"
"Não."

Apesar da pressa, pois precisava embarcar para Brasília, retomando a calma, continuou num tom de quem dá conselhos a jornalista que vive atrás de notícia velha, bem mais compatível com ele, contumaz frequentador do gramado do exclusivo Gávea Golf — a grama não tem nada a temer: o homem que havia passado a emprestar seus serviços ao presidente do Supremo Gilmar Mendes e ao ministro da Defesa Nelson Jobim na CPI dos Grampos já chega saciado às partidas.

"Olha, esse é um assunto superado."

Superado como? Superado para quem? Na sabatina do Teatro Folha, em 26 de agosto de 2008, diante de 150 pessoas, José Sarney também desconversou ao ouvir a pergunta sobre o Caso Lunus. Na época do escândalo, seis anos antes, Sarney até havia ameaçado na revista *IstoÉ*:

"O Fernando Henrique destruiu minha filha. Vou destruí-lo."

Mas naquela manhã, quando lhe perguntaram se o ministro da Saúde de FHC tinha sido o responsável pela desgraça de Roseana, contemporizou:

"Não vou dizer que foi o governador José Serra nem que não foi o governador Serra. Até porque é um fato do passado. Não quero relembrar."

Com o clã dos Sarney eternizado no poder, o Maranhão vivia até ali quatro décadas eternamente à beira da redenção, que com eles no poder jamais virá. E em 2002 parecia que havia chegado a hora de implantar o ignorantismo no país inteiro. Seríamos salvos pelo episódio em que José Serra atirou no que viu e acertou no que não viu. Mas, para chegarmos ao Caso Lunus, precisamos girar a roda da história alguns meses para trás, até vésperas do Natal de 2001.

AFOITEZA DEMAIS
ACABA COM O AFOITO

O cenário é o Palácio dos Leões. Roseana, governadora em fim de mandato, recebe 37 pessoas para um jantar. Há um clima de euforia no ar. Mas o velho pai teve um pressentimento. Algo podia dar muito errado com a candidatura da filha à presidência, apesar da onda de popularidade em que surfava, dos números favoráveis dos institutos de pesquisas, que apontavam para um primeiro lugar em pouco tempo; e apesar do entusiasmo do publicitário Nizan Guanaes, o *golden boy* do Gantois, que já antegozava a repetição do sucesso de sua campanha para reeleger FHC em 1998, em que o candidato espalmava a mão esquerda e ia enumerando nos dedos as cinco plataformas de seu segundo mandato. Mas havia, no caso, um sexto dedo escondido: destruir a candidatura de quem quer que ameaçasse a eleição de seu sucessor.

O velho senador se lembra bem daquele jantar. Seu alarma interno soou e ele chamou Roseana de lado, muito a sério, para lhe dar conselhos. Dona Marly esqueceu por momentos convivas como Pedro Paulo Sena Madureira, editor da maioria dos livros do marido, e Janete Costa, que morreu em 2008, decoradora pernambucana que acabava de dar seu toque na decoração do palácio. De orelha em pé, a mãe de Roseana ouviu o marido dizer à filha:

"Olha, filhinha, você precisa tomar cuidado com seu principal inimigo."
"Quem é, paizinho? O Lula, o Serra, o Fernando Henrique?"
"Não, minha filha. Seu principal inimigo é você mesma."

O conselho não era nada enigmático. Nessa época, os negócios de Roseana e seu marido Jorginho estão sob a lupa da Polícia Federal. O Ministério Público Federal denunciou o casal por improbidade administrativa, graças ao sumiço de 44 milhões e meio de reais da Usimar. Essa fábrica de autopeças, superfaturada, seria implantada no distrito industrial de São Luís com financiamento da Sudam, Superintendência para o Desenvolvimento da Amazônia, extinta por causa deste e de muitos outros desvios de dinheiro.

O projeto, saudado por Sarney em sua coluna na *Folha de S. Paulo* como o início da indústria automobilística no Maranhão, já nasceu marcado pela suspeição de má-fé e corrupção. Pelo menos oito montadoras construídas no Brasil e no exterior custaram menos do que custaria a Usimar, que seria apenas fornecedora de cabeçotes metálicos, virabrequins e pequenas juntas. Mesmo assim, a fraude estava orçada em 1 bilhão e 38 milhões de reais. A tramitação na Sudam voou a jato, em tempo recorde, com interferência pessoal da governadora do Maranhão e de seu marido, gerente de Planejamento (nomenclatura inventada por Roseana: gerente é o mesmo que secretário).

Roseana ligou para vários ministros pedindo pela Usimar com ansiedade fora do normal. Conselheiros da Sudam, indecisos ou resistentes, foram pressionados. Ela telefonou, e o marido foi atrás. Jorge Murad cabalou os votos necessários ao desfrute até na reunião do Conselho Deliberativo da Sudam. Roseana presidia a reunião, auxiliada pelo governador tucano de Mato Grosso, seu velho amigo, e íntimo amigo, cuja ascensão ao Ministério da Reforma Agrária no governo Sarney foi obra dela — e talvez um pouco por causa dela, Dante de Oliveira deixou ao morrer uma conta na Suíça com US$ 42 milhões. Se você quiser entender como se amealha tamanha fortuna, rememore, no Capítulo 4, o papel exercido por Armando Martins de Oliveira. Armandinho Nova República, o funcionário público de terceiro escalão das Centrais Elétricas de Mato Grosso que se tornou o mais rico empreiteiro do Estado, sócio de uma construtora e de Fernando Sarney.

A reunião da Sudam, em dezembro de 2001, deveria sacramentar os projetos de financiamento já aprovados. Mas o casal maranhense queria aprovar também, de todo jeito, a bolada para a Usimar. Famoso pela arrogância, Murad nesse dia se desmanchou em gentilezas para com os conselheiros. Colou um sorriso no rosto moreno, louvou o sucesso da empreitada, antevendo os lucros exorbitantes que teria. Com sua afoiteza, inadvertidamente Murad começava a matar a pau a candidatura da patroa.

SABE O QUE É 27 MIL NOTAS DE 50 NO JN?

Por enquanto, o baile segue normalmente na Lunus. Roseana detém 80 por cento das ações da empresa. Murad deixa a residência oficial toda manhã, com certo ar de enfado, e no carro oficial, com direito a seguranças, vai até seu quartel-general, conhecido pelos ludovicenses como Batcaverna. O povo todo sabe que é da Batcaverna que o Maranhão é de fato governado.

A Lunus fica no edifício Adriana, cinco andares de mau gosto, aquele tipo de construção que já nasce velha. E um logotipo da Lunus de pior gosto ainda. Fica na Avenida Colares Moreira, no bairro do Renascença. Abriga escritórios de várias empresas: EIT, forte empreiteira potiguar, de sólidas ligações com governos do Nordeste; a Pleno, de engenharia, ligada a Fernando Sarney; a Agrima, de Murad; a Pousada dos Lençóis, de Murad; o mais conhecido advogado maranhense, Vinícius Berredo Martins; a própria Usimar; e, até poucos anos antes, uma empresa de agiotagem, a Credita Factoring, em cujas salas passariam a trabalhar, naqueles dias, funcionários do PFL, empenhados na candidatura de Roseana.

Mal cumprimentava a secretária, Murad recebia João Guimarães de Abreu, sócio da Lunus até meados de 1999 e um dos nomes que chegaram a ser ventilados por Roseana para sucedê-la no governo. Abreu, além de sócio e secretário poderoso, respondia pela Gerência Qualidade de Vida, mastodonte governamental que atuava na área social. Os habitantes da mais miserável unidade da Federação pouco ficaram devendo ao talento de Abreu.

No prédio ao lado ficava o contador Antônio Carlos Rebouças, o AC Rebouças, de quem falamos no Capítulo 8, peça fundamental na engrenagem da Lunus. É um tipo extrovertido, conhecido na província pela facilidade com que realiza proezas na área empresarial, seja como empreendedor ou conselheiro. Basta abrir a janela e gritar seu nome para que o titular da AC Rebouças venha em socorro da dupla dinâmica da Batcaverna. Cabe a ele a função honrosa de cuidar de um vasto laranjal no Caribe, em Tortola, nas Ilhas Virgens Britânicas, onde os Sarney abriram diversas empresas-fantasma, como a Greenwich Business, a New Clare Finance, e outras, para receber o dinheiro conseguido em várias transações, principalmente a da Usimar.

Pelas mãos calejadas do experiente citricultor de notas verdes, passaram comissões da construtora baiana OAS, do ex-genro de Antônio Carlos Magalhães, empresa que virou quase dona das obras públicas maranhenses nos dois governos do casal Sarney-Murad, além do dinheiro esquentado na Credita Factoring.

Eis que em 1º de março de 2002, numa tarde abafada de sexta-feira, os temores de José Sarney no jantar de dezembro se materializam nas figuras de oito agentes e dois delegados da Polícia Federal. Munidos de mandado judicial, vasculham a empresa de Roseana Sarney Murad e Jorge Francisco Murad, seu marido. Na cobertura do edifício Adriana, os policiais encontram 1 milhão e 350 mil reais em dois imensos cofres.

Pelo telefone, dona Terezinha, a secretária, ofegante, suada e chorosa vai contando o curso da operação, direto da Batcaverna aos patrões na toca dos Leões. A cada notícia, nova explosão de Roseana.

"Eu não sabia que tinha dinheiro lá!" — vocifera para Jorge Murad, acuado. Ele disse que havia na Lunus apenas R$ 3 mil. Para as despesas, sabe? Talvez da quitanda. Depois dos ataques de fúria, a governadora consegue finalmente falar com o gelado e calculista senador catarinense Jorge Bornhausen, então presidente do ex-PFL e fiador da candidatura da moça, enquanto chegam o vice-governador José Reinaldo e secretários mais próximos.

A lua-de-mel da candidata à presidência com a mídia grande, que embarcou na candidatura Roseana tal como havia embarcado na de Fernando Collor, acabou na edição do Jornal Nacional da quinta-feira 7 de março com a imagem das 27 mil oncinhas nas notas de 50 reais, dispostas em cima de uma mesa. Houve sete ou oito versões para a bolada. Na última, lendo a contragosto uma nota seca, Murad diz que o dinheiro era para a campanha, mesmo incorrendo em crime eleitoral, pois pela lei não havia chegado a hora de arrecadar fundos.

Sobre a origem, nada. Só no dia 10 de abril aparece a lista com os "doadores oficiais" da campanha, que o *Correio Braziliense* tinha antecipado um mês antes. Segundo o jornal da capital federal, a fortuna era creditada a empresários amigos para pagar as despesas da candidatura. A arrecadação correu por conta e risco de Murad, sem que a governadora soubesse. Na lista aparecem o próprio Murad e o irmão caçula da então governadora, Fernando Sarney, que no primeiro mandato dela teve duas empresas de seus amigos (EIT e Planor) contempladas com US$ 33 milhões por uma estrada nunca construída: Paulo Ramos-Arame.

O jornal também informava que o maior doador era o empresário piauiense João Claudino Fernandes, dono da Construtora Sucesso. Sucesso a toda prova. Na época, ele tinha abiscoitado 7 milhões e 800 mil reais em obras federais nas estradas do Piauí e do Maranhão. Por coincidência, é sócio de Jorge Murad no São Luís Shopping, o maior da capital maranhense. O jornal não diz, mas Jorge Murad também é sócio de Carlos Jereissati, em Porto Alegre, no chamado "shopping do Sarney", às margens do Guaíba. Falamos do Jereissati da BrOi, megaempresa de telefonia que lhe chegou às mãos com um *empurrãozão* de quem? Emília Ribeiro, afilhada de José Sarney, num voto decisivo — de desempate — no conselho da Anatel. Tudo em casa, como continuaremos a ver no próximo capítulo.

Outro doador de Roseana, enrolado com a Polícia Federal, é Eike Batista, mineiro de Governador Valadares, nascido em 1957. No momento em que este livro é escrito, meados de 2009, é o homem mais rico do Brasil e ocupa o 61º lugar no mundo. Dedica-se a vários negócios, com destaque para mineração e petróleo. No Amapá, gastou R$ 200 mil na campanha de 2006. Para Roseana doou em torno de R$ 1 milhão oficialmente.

Refrescando a memória: Eike foi alvo da Operação Toque de Midas. Lembra? Investigava fraudes em licitações de concessões de estradas de ferro no Amapá. Lembre um pouco mais. No desdobramento da operação foi preso, em 16 de setembro de 2008, o segundo homem na hierarquia da Polícia Federal, Romero Menezes, diretor-executivo da corporação, que respondia diretamente ao diretor-geral, Luiz Fernando Corrêa — Menezes era suspeito de favorecer uma empresa de limpeza e conservação de ambientes, que seu irmão gerenciava. A EBX, controlada por Eike Batista, estaria buscando facilidades com Menezes. Entre as benesses que Eike esperava estavam fraudes em inscrição para agentes portuários. Menezes ficou poucos dias em cana.

Eike Batista foi o maior contribuinte individual de Roseana, pelos interesses dele no Amapá, ferrovia, porto, tudo mais que viesse e desse.

Roseana faz parte ainda da "folha de pagamento" do empreiteiro Zuleido Veras, dono da Gautama. Segundo a lista apreendida pelos policiais federais na Operação Navalha, ela recebeu R$ 200 mil. O tio dela, Ernane Sarney, recebeu quantia modesta: R$ 30 mil. Mas titio, quando as togas falarem, será como sempre bem recompensado, conforme veremos.

Polícia devassa
coração do império

Com a invasão da Lunus, o PFL de Jorge Bornhausen rompeu com o tucano FHC. Roseana, no céu com 23% das intenções de voto, praticamente empatada com Lula e bem à frente de José Serra, desceu ao inferno: despencou para 15% na pesquisa Datafolha. Serra pulou para 17%. A candidatura Roseana naufragou e quem sairia lucrando seria, não Serra, mas um terceiro mais *expert* correndo por fora: Lula.

A dinheirama ficou sob a guarda da Caixa Econômica, mas acabou voltando para o casal Murad-Roseana. E o Caso Lunus? Que fim levou? Naquela sabatina da *Folha*, em agosto de 2008, em que disse que não sabia da existência de tortura no Brasil, depois de dar o caso como encerrado Sarney acrescentou:

> "Quem vai dizer não sou eu, mas o STF e o Tribunal Federal de Brasília, que, em acórdão, disseram se tratar de armação. Não tinha começo nem meio nem fim, uma busca e apreensão que não foi junto a processo algum e que só cumpriu uma finalidade: barrar uma candidatura à presidência."

Agosto, mês de desgosto. O ex-presidente, aos 78 anos, diante daquelas 150 pessoas, não pode dizer que um novo caso de polícia torna aquela manhã particularmente azeda. Tem bons amigos na Polícia Federal. Um deles, Aluízio Guimarães Mendes Filho, trabalha em seu próprio gabinete, pois, manda a lei, como ex-presidente tem direito a proteção especial (o agente teve prisão preventiva pedida pela própria Polícia Federal, negada pela Justiça, por suspeita plausível de vazar para Sarney o andamento do inquérito contra Fernando e, pelos serviços prestados ao clã, ao assumir o governo do Maranhão pela terceira vez Roseana nomeará Aluízio secretário-adjunto do Centro de Inteligência da pasta da Segurança, assim ele passará a investigar os adversários oficialmente).

O fato é que, naquela Sabatina, Sarney sabe de cada uma das acusações contidas noutro inquérito — que revela transações tenebrosas, como veremos no Capítulo 11. Uma devassa no coração do império que ergueu nos tais 50 anos de vida pública sabatinados ali, baseado principalmente no setor de energia elétrica, monopólio da família.

"Eu gostaria que alguém chegasse pro Sarney e perguntasse por que ele tem tanto interesse no setor, se ele gostaria de ter sido engenheiro elétrico", brinca o historiador Marco Antônio Villa.

Um documento de 160 páginas daria a resposta.

UM MARANHÃO
PARA CADA UM

O Caso Lunus não era nada, um passeio na floresta encantada, comparado ao impacto devastador do relatório divulgado na imprensa em 4 de outubro de 2008. Só num país como o Brasil Sarney poderia chegar aonde chegou naquele 2 de fevereiro de 2009, agora com um filho metido em falcatruas de toda ordem. A nova investigação começou a partir de uma movimentação "atípica", de 2 milhões de reais em dinheiro vivo, comunicada ao Ministério Público pelo Coaf (Conselho de Controle de Atividades Financeiras). A bolada entrou nas contas de seu filho Fernando Sarney e da mulher dele, Teresa Cristina Murad Sarney, às vésperas do segundo turno das eleições de 2006, para o governo do Maranhão. Roseana Sarney, agora no PMDB de papai José Sarney, tentava voltar ao Palácio dos Leões. Acabaria derrotada por Jackson Lago, pedetista histórico, num dos resultados mais espetaculares daquelas eleições.

O clã ficou tão desconcertado, desesperado mesmo, que Edison Lobão, já no segundo mês da gestão Jackson Lago, propôs no Senado um plebiscito no Maranhão para criar o Maranhão do Sul, capital Imperatriz, segunda maior cidade do Estado, onde Roseana também perdeu. A paixão é tanta, que queriam criar dois Maranhões. Da estapafúrdia proposta, nem a *Folha de S. Paulo* gostou, ela que dá uma coluna semanal ao velho senador.

UMA BOQUINHA
PARA O TIO GAGUINHO

Aqueles "atípicos" 2 milhões deveriam turbinar a campanha de Roseana. E a quem as togas cassarão, dois anos depois, por "abuso de poder econômico"? O vencedor das eleições, o médico Jackson Lago. Roseana volta, e com ela personagens que vão e vêm, tal qual nos filmes eternamente repetidos nas sessões da tarde da televisão. Gaguinho é um deles.

No centro histórico de São Luís, dois do povo conversam:

"Qual a pior coisa do Maranhão?"
"A família Sarney."
"Qual a melhor coisa do Maranhão?"
"Ser da família Sarney."

Pois então. Roseana mal retoma seu Maranhão, e já leva o tio, Ernane Sarney, velho faz-tudo dela, para a Casa Civil, mesmo envolvido até o pescoço na Operação Navalha. Grampo da Polícia Federal realizado em março de 2007 capta titio cobrando propina que a construtora Gautama lhe devia. A Operação Navalha desmontaria dois meses depois um esquema de fraudes em licitações de obras públicas. A conversa se deu entre Ernane César Sarney Costa, o Gaguinho, irmão do velho coronel e secretário particular de Roseana, e na outra ponta da linha Gil Jacó Carvalho Santos, tesoureiro da Gautama, empreiteira de Zuleido Veras. Gil Jacó era quem pagava as propinas e foi um dos 61 denunciados pelo Ministério Público Federal no Superior Tribunal de Justiça.

O *Jornal Pequeno*, de São Luís, teve acesso ao diálogo interceptado e publicou trechos na edição de 24 de agosto de 2008. Segundo o repórter Oswaldo Viviani, Ernane cobra de forma agressiva o pagamento, diz que está "com a corda no pescoço" e que "o pessoal aqui também tá com a corda no pescoço", o que leva a crer que não é o único beneficiado:

"Você disse que ia pagar, rapaz! Já tava tudo na mão, eu não sei o que tá acontecendo. Tão me enrolando", diz Ernane. "Tava na mão, tava na mão. Só conversa, rapaz. Eita, porra!", explode o tio de Roseana e seu futuro aspone na Casa Civil, exigindo: "Rapaz, fala com ele! Bota isso em prioridade." *Ele*, segundo a reportagem, é o "chefão" da Gautama, Zuleido Veras.

A Gautama depositou dinheiro na conta da mulher e do filho de titio Ernane. A mulher é Shirley Duarte Pinto de Araújo, assessora do

Senado lotada no gabinete de Roseana; o filho é Ricardo Sarney. Nos depósitos para Shirley, a Gautama tratou de evitar o valor de R$ 10 mil em cada operação, para fugir à fiscalização. Em 7 de abril de 2006, depositou R$ 9.950 às três e vinte da tarde e, cinco minutos depois, mais cinquentinha que faltavam.

Depósitos e diálogos comprometedores, lembra o *Jornal Pequeno*, somam-se a outros indícios de envolvimento do clã Sarney com as fraudes da Gautama, que a revista *Veja* revelou em junho de 2008. Ali, uma agenda de Zuleido Veras apreendida em maio de 2007 contém a anotação do nome de Roseana ao lado da quantia de R$ 200 mil, dois meses antes da eleição para o governo do Maranhão, na qual ela (ainda no PFL, depois DEM) perdeu para o pedetista Jackson Lago. Na mesma agenda, Roseana aparece numa anotação, a 14 de abril, ao lado da cifra R$ 63 milhões.

Gaguinho, ou titio Ernane, Roseana nomeou chefe da Assessoria de Programas Especiais da Casa Civil. Ou seja, não precisa fazer nada, não, se não quiser. Uma sinecura.

Capítulo 10

A caravana da morte

Jornal do Brasil liga Sarney a bandalheiras • Fixação na própria morte: reservou lugar para seu mausoléu • Inveja exéquias de Getúlio, Tancredo, Alfonsín, ACM • De morte matada entende o vice da filha, o Carcará

Cem fantasmas rondam o Palácio dos Leões no fim de abril de 2009, quando Roseana e o vice, João Alberto de Souza, se preparam para ocupar os lugares recém-deixados por Jackson Lago e seu vice, Luís Porto. É uma sucessão menos traumática para o velho coronel, e um alívio depois dos mais de dois anos de suspense entre entrar com a papelada para pedir a cassação de Jackson Lago e o resultado, dado como líquido e certo no Supremo, porém mais demorado do que sua paciência pedia.

Mistura de alívio e desconforto sentiu igualmente na sucessão anterior, quando o filho que não teve, José Reinaldo, entregou a faixa ao médico fundador do PDT, quebrando quatro décadas de mando absoluto da família no Estado. Um desconforto não alivia outro. Aquele que caía fora o traiu, o que entrava havia derrotado sua filha.

Sua porção "imortal da Academia" se pôs a serviço da mesquinhez e arrogância. Sob o título O Fim do Fim, Sarney usou a primeira página de seu jornal *O Estado do Maranhão* para atacar José Reinaldo. Gostou tanto da vingança, que publicou no último dia de 2006 e repetiu a dose no primeiro dia de 2007.

Como ele sabe escrever mal! O texto, eivado de adjetivos, carregado de hipérboles, acusa o governador de traição e põe a culpa em seu "casamento bufônico" — a culpa foi de Alexandra, a Grande. Sarney assina atestado de falta de inteligência ao escrever:

> "Foram estes 40 anos de sinecuras por ele usufruídas pelas minhas mãos generosas, que ele resolveu amaldiçoar. Nunca passou um dia na vida fora de um cargo que não tivesse sido dado por mim. Assim, o maior beneficiário desses 40 anos foi ele."

Com que então o velho senador reconhecia e assinava embaixo que durante 40 anos arrumou "sinecuras" para o pupilo. Sinecura é emprego em que se ganha e não se trabalha. Com que então falta a Sarney bestunto e não passa de um espertalhão!

Deixar para lá. Agora, sua menina está de volta ao Palácio dos Leões. Em companhia de João Alberto, companheiro de incontáveis lides. A ele Sarney incumbiu da manobra que lhe providenciou a doação do lugar de sua última morada.

Não poderia ser um lugar qualquer. Precisava estar à altura de um senhor feudal. Tal e qual ele se sentiu de verdade ao fim do mandato na presidência da República: por cinco anos, manteve majestoso castelo medieval na região de Sintra, Portugal. Não um castelo brega como aquele do deputado Edmar Moreira, no interior de Minas Gerais. Castelo de verdade, com pedigri, avaliado em R$ 30 milhões.

O velho coronel nunca declarou o castelo de Sintra ao Fisco brasileiro. Assim como vinha mantendo no maior enruste os quase R$ 4 milhões que já havia recebido de "auxílio-moradia" do Senado, mesmo com casa própria em Brasília ou morando em imóvel oficial, até que a imprensa descobriu a mesquinharia em maio de 2009, como veremos no décimo segundo e último capítulo. Com tais traços biográficos, o pai de Roseana, Zequinha e Fernando imagina-se no entanto jazendo em mausoléu que vai virar atração religiosa, visitada todo dia de São José por centenas, milhares de romeiros.

Às favas a
inconstitucionalidade

No centro histórico de São Luís, ergue-se uma edificação do século 17, palco de sermões do Padre Antônio Vieira, um dos maiores oradores em língua portuguesa, autor dos *Sermões* e de um opúsculo chamado — mais uma vez não se trata de piada pronta — *A Arte de Furtar*.

Em 1990, o governador Epitácio Cafeteira deixa o cargo para disputar o Senado. Seu vice, João Alberto, assume. E toma a iniciativa que Sarney espera: promove a doação do Convento das Mercês ao ex-presidente, mediante escritura registrada no cartório de um parente da família Sarney. Dez anos depois, a área, com 6.500 metros quadrados, tombada pelo Patrimônio Histórico, por outro tipo de manobra se transforma, de Fundação da Memória República, em Fundação José Sarney. Será futuramente, apregoa o senador, um Memorial da República. A historiadora Maria de Fátima Gonçalves, autora de *Reinvenção do Maranhão Dinástico*, recorreu ao acervo ali oferecido. Não encontrou referência alguma que a ajudasse.

“Guardam almanaques, folhetos e enciclopédias dos mais variados assuntos”, diz Maria de Fátima, “esoterismo, literatura de autoajuda, livros didáticos dos antigos cursos primários de São Luís.”

E, acredite, lhe passaram também desenhos que os filhos de Sarney faziam quando eram crianças. Do genial Padre Antônio Vieira, você não encontrará nada ali. Em compensação, numa ala do pátio central vai deparar com um busto do “escritor” José Sarney, com um versinho do próprio:

Maranhão
Minha terra
Minha paixão

Ele acha isso tão bacana, que inscreveu na página dos editoriais de seu jornal.

No andar superior, há três salas reservadas a uma exposição sobre o Brasil, os ciclos históricos, e duas salas para objetos, documentos e fotos de momentos protagonizados por Sarney ou parentes dele. A curadoria assina um texto em que exalta o "ilustre maranhense", como literato criador de personagens "imortais" como Antão Cristório e Saraminda, e como político "destacado em recente pesquisa como um dos melhores presidentes da República em toda sua história já secular".

Como se vê, a única coisa em comum com um convento é a pobreza franciscana, nos textos e no acervo à disposição dos visitantes.

Na verdade, toda essa prosopopeia camufla a verdadeira natureza da imponente edificação. O Convento das Mercês transformou-se em mais uma mina de dinheiro do clã. Do estacionamento às instalações, o que vier eles aceitam: convenções, aniversários, seminários, casamentos, batizados. Sem contar que os sucessivos governos sarneyzistas sempre contribuíram com quantias generosas, ora a título de reformas, ora certas participações não bem explicadas.

Mas o grande acontecimento é o São João Fora de Época, isto sim é que é um negócio rendoso — patrocinado por empresas do porte da Petrobras, Vale do Rio Doce, Abyara. Não adianta nem pensar em menos de 500 mil por cota de participação.

Estive no Convento depois de uma festa dessas. A beleza que a gente vê nas fotografias não existe. A grama pisada, sujeira, garrafas PET, restos de comida para todo lado. O sinal de religiosidade que avistei foi, num desvão, um engradado de refrigerantes "*made in* Maranhão", da famosa marca Jesus.

Em 2005, o deputado estadual Aderson Lago conseguiu aprovar na Assembleia projeto de lei que restituiria o Convento ao Patrimônio Público. O ministro do Supremo Marco Aurélio de Mello, toga indicada por seu primo Fernando Collor de Mello quando presidente no início da década de 1990, nem leu os argumentos que mostravam a inconstitucionalidade da doação do prédio histórico aos Sarney. Mandou tocar em frente. Aguarde que vai haver desdobramento.

Aqui jaz José Sarney

Uma década antes de mais este assalto aos cofres do Maranhão, o *Jornal do Brasil* já se estarrecia com o estado de coisas promovido pelo bando de José Sarney e seus sequazes. O homem ainda queria voltar à presidência da República pelo voto popular, com a candidatura articulada por Cid Carvalho e Alexandre Costa, dois afundados até o pescoço na lama chamada Escândalo dos Anões do Orçamento, articulado por um obscuro deputado chamado João Alves — manipulavam emendas ao Orçamento da União para se locupletar. O editorial Memorial da Amnésia, do *Jornal do Brasil* de 2 de novembro de 1993, por coincidência Dia de Finados, um documento para a história da República, merece transcrição na íntegra, conforme segue.

Memorial da amnésia

Aumentam os sinais, por enquanto exteriores, do envolvimento do ex-presidente José Sarney com o padrão de bandalheira de um extenso grupo de parlamentares, tornado público a partir das revelações do ex-assessor do Senado e réu confesso de corrupção passiva José Carlos Alves dos Santos. Dos 29 acusados na CPI do Orçamento, 15 deles mantêm ligações políticas ou de amizade com José Sarney.

Para começar, seus três principais aliados no Maranhão, que comporiam o esquema de sua candidatura à presidência, e da eleição de sua filha ao Palácio dos Leões, desmoronaram. O governador Edison Lobão e o ainda ministro Alexandre Costa, eventuais aspirantes ao Senado, e Cid Carvalho, pretendente a vice-governador, foram citados nominalmente como membros do esquema de João Alves.

De uns tempos para cá, trabalha-se muito (e em vão), em São Luís, para desvincular Sarney do anão Cid Carvalho — o mais comprometido com o esquema de propinas. Mas nem o jornal, nem a televisão ou as rádios da família Sarney conseguem tapar o sol com a peneira, isto é, esconder que o substituto de João Alves só conseguiu assumir o controle do PMDB maranhense graças ao ex-presidente.

Até o escândalo estourar, Sarney e o anão eram unha e carne no Estado. Agora, preocupados, membros do clã Sarney espalham que Cid Carvalho inventou sozinho a candidatura do ex-presidente ao Planalto. Para complicar as coisas, a revista *Veja* desta semana avisa que está chegando à CPI do Orçamento um dossiê de 56 páginas — organizado por um antigo executivo da empreiteira Servaz — com uma lista de propinas e de obras da empresa, com porcentagens especificadas, beneficiando políticos, autoridades e chefes de campanha.

Sarney figura ao lado de PC Farias, João Alves, Cid Carvalho, Genebaldo Correia e outros. Ao lado do ex-presidente pode-se ler: assuntos do Maranhão + fazenda. Os "assuntos" seriam benfeitorias realizadas graciosamente pela empreiteira na ilha de Curupu, propriedade da família Sarney. A "fazenda" se refere a obras subfaturadas em seu sítio do Pericumã, em Brasília. Não são provas conclusivas, embora se saiba que na Presidência Sarney conviveu estreitamente com o dono da Servaz, Américo Onofre Vaz, empresário conhecido por sua habilidade de arrancar verbas públicas em Brasília.

Onofre nunca mais faturou tanto quanto sob Sarney. E há mais: Jorge Murad, genro do ex-presidente, adquiriu uma grande quantidade de terras vizinhas ao sítio Pericumã, em seguida transferiu, via intermediários, três glebas por US$ 600 mil a um meio-irmão de Onofre, seu sócio na Servaz.

Não são boas notícias para José Sarney, no exato momento em que se sabe que o ex-presidente instalou num antigo convento o único memorial erguido em honra a um político ainda vivo, o próprio José Sarney. A obra custou aos cofres do Maranhão US$ 9,5 milhões. No jardim, há uma câmara mortuária à espera do prócer de Curupu. O contribuinte não foi consultado.

É compreensível que José Sarney queira ter algum controle sobre a maneira pela qual a história registrará sua memória. De como, por exemplo, de líder da ditadura no Congresso conseguiu transformar-se, com ajuda da ironia dos deuses e ajuda do general Leônidas, em ocupante do Planalto e presidente de honra do partido de oposição da ditadura.

Vai ser preciso esquecer que, até alguns meses antes, ele integrava um grupo de políticos que se tinham tornado dissidentes, menos por princípio do que por interesse pessoal, formando o PFL na hora em que a ditadura naufragava. E que a vitória de Tancredo Neves, fundada em anos de uma solitária batalha contra o regime militar, foi surrupiada na última hora por políticos e militares que serviram fielmente a ditadura.

O memorial vai ter também de passar por cima do estelionato eleitoral de 1986, quando Sarney conseguiu fazer quase todos os governadores de seu novo partido — o PMDB — pelo prolongamento artificial do popular congelamento de preços. E esquecer que, quando Sarney passou a faixa, o Brasil vivia uma hiperinflação de mais de 80% ao mês.

Sarney foi unha e carne com muita coisa que será conveniente reescrever. O "é dando que se recebe" foi cunhado pela desfaçatez do deputado Roberto Cardoso Alves para explicar a vergonhosa concessão de 32 emissoras de rádio e televisão a parlamentares, em troca da aprovação do quinto ano de mandato presidencial. Sarney vem de longe. É uma das matrizes dessa política rasteira e matreira, o denominador comum entre os políticos-despachantes, um gigante em miniatura que inspira anões.

A nação que pediu contas e soube destruir legalmente um presidente eleito por 35 milhões de votos não pode recuar na hora de pedir contas a um ex-presidente que nem eleito pelo povo foi. É difícil confiar num homem que, depois de passar cinco anos no Planalto, em vez de se candidatar por um Estado importante, elege-se senador pelo Amapá e depois aparece com uma pesquisa que o aponta como segundo político mais popular na história do Brasil, logo atrás de Getúlio Vargas e na frente de Juscelino Kubitschek.

É difícil, mas o memorial dos 9,5 milhões de dólares deve ter alguma explicação para isso.

Jornal do Brasil
Editorial de 2 de novembro de 1993

DE REPENTE VIRA UM SEM-TÚMULO

No jardim do memorial, há um pátio externo cercado de palmeiras imperiais. No cenário bucólico destaca-se uma lápide de granito preto, com três metros de largura por seis de comprimento, cercada de correntes. Ela espera pela morte de José Sarney. Naquele espaço, será erguido seu mausoléu.

Nos delírios de personagem de romances latino-americanos, ele imagina o túmulo como centro de peregrinação. Inveja cortejos fúnebres como os de Getúlio, um milhão de brasileiros nas ruas do Rio; aquela massa de paulistanos se despedindo de Tancredo; os milhares de baianos tomando as ruas de Salvador, entre o Palácio de Ondina e o Campo Santo, para dar adeus a Antônio Carlos Magalhães; a comoção popular que tomou quatro quarteirões de Buenos Aires, gente à espera de passar pelo velório do presidente Raul Alfonsín que, sucedendo à ditadura militar, enquadrou os comandantes das torturas e mortes, ao contrário dele, que os abrigou.

O velho coronel sabe, no fundo, que seu passamento passará.

Humoristas adoram políticos como Sarney. O ridículo está exposto. Que nem piada pronta. É só reproduzir o que ele diz ou copiar sua figura patética. Dois amigos, a quem contei sobre o mausoléu que Sarney já encomendou num prédio histórico de São Luís, caíram na risada e combinamos que eles adiantariam o epitáfio, para a posteridade também se divertir. Aran, que em parceria com Carlos Castelo publicou o *Livro dos Epitáfios*, escreveu este exclusivamente para *Honoráveis Bandidos*:

Aqui jaz o dono do mar, do bar, da venda, da televisão, do jornal, do mausoléu, da rua, da avenida, do Estado...

E aí vai o epitáfio que Paulo Caruso mandou:

Aqui jaz Sarney, o presidente que queria ser Dercy Gonçalves.

Mas a posteridade talvez registre epitáfios para o velho coronel em lugar ainda desconhecido. Quando este livro estava sendo finalizado, José Sarney recebeu a fúnebre notícia de que ele acabava de virar um sem-túmulo: no meio de junho de 2009, a Justiça Federal decidiu acatar o pedido do Ministério Público Federal no Maranhão, que anulava a doação do Convento das Mercês à Fundação José Sarney. Não se sabe que forças lá do alto o coronel vai convocar para reverter a decisão.

Certo é que os cem fantasmas que rondam o Palácio dos Leões, no momento em que sua filha volta pela terceira vez a governar o grande feudo em companhia de João Alberto de Souza, esses cem fantasmas também rondarão o Convento das Mercês enquanto o projeto de túmulo de José Sarney ali estiver.

Por que chamam
o vice de Carcará

O maranhense João do Vale deixou, no rol de suas incontáveis obras-primas, a composição que eletrizava o Teatro Opinião no Rio e o Teatro de Arena em São Paulo, em pleno início da ditadura militar. O público entrava em catarse coletiva quando Maria Bethânia encerrava com a música de protesto mais cantada na época, de João do Vale:

"Carcará! Pega, mata e come!"

O xará do compositor, agora vice-governador João Alberto de Souza, 73 anos, alguma coisa aprontou para ganhar o apelido de Carcará. O jornalista Oswaldo Viviani, do *Jornal Pequeno* de São Luís, reaviva a memória de quem esqueceu e informa aos que nunca ouviram falar. Em 11 de março de 2009, quando se tornava cada vez mais evidente que as togas supremas reporiam Roseana em "seu" Palácio, Viviani publicou a reportagem cujo título antecipa o horror:

Cadáveres da Operação Tigre assombram passado do vice de Roseana Sarney.

Sou noventa por cento honesto. Assim João Alberto de Souza se definiu numa entrevista ao jornalista maranhense Walter Rodrigues, que, apesar da pena afiada, não conseguiu apurar até que ponto vão os dez por cento em que ele não é honesto. Em todo caso, se o vice de Roseana for noventa por cento bom, os dez por cento de maldade são capazes de promover uma chacina em massa. Tal se deu em 1990, a Operação Tigre, quando João Alberto era o vice de Epitácio Cafeteira, que renunciou para candidatar-se ao Senado. Relata o jornalista Viviani no *Jornal Pequeno*:

"A Operação Tigre foi desencadeada em Imperatriz com o propósito de varrer a criminalidade da região. Seu idealizador, o então governador João Alberto, deu uma espécie de licença para matar a seu subsecretário de Segurança Pública, o delegado classe especial Luís de Moura Silva (hoje condenado por chefiar o crime organizado no Estado) e ao coronel

José Rui Salomão Rocha (morto em novembro de 2005, em Fortaleza, em consequência de um enfarte)."

O advogado José Agenor Dourado, que presidia a Comissão de Direitos Humanos da Ordem dos Advogados do Brasil, OAB, em Imperatriz, afirmou ao *Jornal Pequeno* que a Operação Tigre "se constituiu num dos maiores morticínios institucionalizados do país". José Agenor compara:

"Foi mais grave do que os esquadrões da morte que agiram no Rio e em São Paulo nas décadas de 1960 e 70. Os esquadrões eram grupos de policiais insatisfeitos que atuavam à revelia do Estado. A Tigre foi incumbida de matar, assassinar, pelo próprio Estado. Ela foi determinada pelo próprio governador. Isso é muito mais detestável do que alguns policiais formarem um grupo de extermínio."

Os detalhes da barbárie talvez jamais venham a ser conhecidos. Eis outra diferença: no tempo dos esquadrões, pelo menos a mídia documentava.

Outro advogado, Josemar Pinheiro, ex-presidente da Comissão de Direitos Humanos da OAB, que enviou à Organização das Nações Unidas, ONU, dados sobre a operação, diz que os PMs pistoleiros que agiram em Imperatriz mataram em quatro meses mais de 100 pessoas: "bandidos notórios", mas muita gente "com ficha policial limpa ou na condição de meros suspeitos".

E assim foi que o povo passou a chamar João Alberto de Carcará. A segurança no Maranhão passaria a ser com ele a partir da queda de Jackson Lago. Tão logo tomou posse dia 17 de abril de 2009, Roseana anunciou que pediria licença médica por até quatro meses. Carcará reinaria nesse tempo. A barbárie iria voltar.

Capítulo 11

Com os federais nos calcanhares

Operação Boi-Barrica ouve diálogos de arrepiar • Fernando não sai de casa sem o principal adereço: um habeas corpus • "A organização criminosa demonstrou fortes ligações no setor público" (do relatório da PF)

Noutros tempos, as famílias da Máfia americana usavam as cabines de telefone público para trocar informações, quando estavam sob cerco do FBI, o Federal Bureau of Investigation, a Polícia Federal dos gringos. Guardavam, para isso, um estoque permanente de fichas, como faziam Joseph e Bill Bonano, pai e filho, retratados no livro *Os Honrados Mafiosos*, obra-prima de Gay Talese, um papa do *new journalism*. Não é de hoje que José Sarney e Fernando, pai e filho, enfrentam esse problema. Numa mesa do restaurante carioca Alvaro's, no Leblon, o jornalista Sebastião Nery se diverte contando como eles se comunicam há décadas:

"Tenho um amigo que é amigo do Sarney. Quando presidente, ele doou a esse amigo uma rádio. Ele não era deputado, mas ganhou a rádio. Foi ao Palácio agradecer. O Sarney se levanta da mesa, vai andando e, quando chega na porta, diz: Você está indo para o Maranhão? Diga ao Fernando pra vir aqui que quero conversar imediatamente com ele. Esse meu amigo jornalista disse assim: Sarney, vou ligar e falo pra ele vir amanhã. O Sarney disse: Pelo amor de Deus, não fale com ninguém nem ligue pra ele. Diga pessoalmente. Diga para ele pegar um avião e vir até aqui falar comigo."

Deve ter aprendido com Tancredo Neves, que ensinava: telefone, só para marcar encontro e assim mesmo não comparecer. Tancredo da escola mineira que recomendava primeiro reunir a cúpula do partido, tomar a decisão, só então fazer uma reunião para "consultar as bases". E naquele agosto de 2008, quando o velho coronel se preparava para a Sabatina Folha, telefone em hipótese alguma. A família estava de novo sob a lupa da Polícia Federal.

Em janeiro de 2008, havia saído uma outra coisa na imprensa. A partir dali, tudo corre em segredo de justiça. Menos para José Sarney. No mês do desgosto, o senador tem que apelar de novo para os *seres superiores*, usando todas as suas manobras de sedução — a maior delas, segundo o jornalista Sebastião Nery, o poder infinito de nomear. Precisa livrar da cana seu filho, o empresário Fernando Sarney, 52 anos, comandante do Sistema Mirante, que domina as comunicações no Estado, e mais uma dezena de pessoas, por: formação de quadrilha; crime contra o sistema financeiro e administração pública; falsidade ideológica; fraude em licitação; e evasão fiscal. Falta alguma coisa?

Falta. Formação de base. É com a base de apoio do governo que Sarney manobra para que Fernando possa agir. Quando Silas Rondeau rodou, por causa de uma propina mensal de 100 mil reais, e Lula vacilou na nomeação de Edison Lobão para o Ministério das Minas e Energia no começo de janeiro de 2008, o que aconteceu? Sarney e Roseana, líder do governo no Senado — cargo praticamente honorífico, para compensar um Ministério das Cidades que ela não levou — ameaçaram entrar em férias. O que significava que boa parte dos votos da base de apoio de Lula no Congresso também entraria em férias, como vimos no Capítulo 9. Sarney peitou Dilma Rousseff para obrigá-la a engolir Lobão no Ministério.

João e Janete Capiberibe sabem muito bem como Sarney forma essa base. Eles foram igualmente vítimas do golpe judiciário denunciado por Francisco Rezek no caso Jackson Lago, conforme narrado no Capítulo 8. O casal Capiberibe acusa Sarney de ter armado a cassação de seus mandatos no Amapá, ele senador, ela deputada federal. Os dois, eleitos pelo PSB, Partido Socialista Brasileiro, tinham currículo político invejável, forjado na luta contra a ditadura. No lugar de João entrou Gilvam Borges, do PMDB; Evandro Milhomen, do PCdoB, ficou no lugar de Janete.

Vazamento é
com ele mesmo

Os métodos para derrubar João e Janete foram os habituais. O PMDB entrou com processo no TSE pedindo a cassação do mandato deles no início de 2004, acusando-os de comprar votos. As provas se desvaneceram. Havia duas mulheres, que disseram ter recebido 26 reais e 50 centavos para votar em João e Janete. Elas negaram tudo em depoimento à Polícia Federal e admitiram que tentaram extorquir o casal. Também foram apreendidos 150 mil reais e uma lista com supostos eleitores, mas o casal alegou que era um cadastro de militantes de boca de urna.

Num desdobramento muito parecido com o caso de Jackson, os advogados do casal ainda conseguiram que eles permanecessem no Congresso, apesar de cassados pelo TSE — o Tribunal Regional Eleitoral do Amapá os considerou inocentes; o Ministério Público estadual acompanhou todo o processo e não fez denúncia alguma. Mesmo assim, em 22 de setembro de 2005 o STF arquivou a liminar. E cassou o mandato dos maiores adversários de Sarney no Amapá, Estado tão desgraçado, que tem como maior atração uma linha imaginária, a Linha do Equador, e como líder-mor um coronel infelizmente real.

Por *seres superiores*, aos quais linhas atrás o velho senador apelou em favor do filho entrutado em grossa bandidagem, entenda-se os ministros do Superior Tribunal de Justiça, STJ. A polícia pediu a prisão de Fernando em 18 de agosto de 2008, oito dias antes da Sabatina Folha. É por isso que estava acabrunhado. Sarney acionou seu advogado, Antônio Carlos de Almeida Castro, o Kakay, que está "em todas".

Kakay entrou com pedido de *habeas corpus* preventivo, concedido antes mesmo de o STJ apreciar. Isso bastava. O juiz Neian Milhomem da Cruz, relator do inquérito na primeira instância na Justiça Federal do

Maranhão, que vinha dando apoio ao cerco da Polícia Federal e do Ministério Público, negou o pedido de prisão contra Fernando, e saiu em férias prudentes. Em compensação, a partir de então, toda vez que Fernando sai de casa para ganhar a vida, a mulher Teresa avisa:

"Fernando, não esquece o *habeas*."

O *habeas* passou a fazer parte do guarda-roupa dele, um adereço, como a gravata.

As pressões não ficaram aí. A procuradora Thayná Freire, que conduz o inquérito no Maranhão, levou uma prensa do procurador-geral da República Antonio Fernando Souza em Brasília. E os aliados do senador no PMDB tentaram até derrubar o ministro da Justiça, Tarso Genro, que Sarney considerava responsável pelas agruras de Fernando. Queriam no lugar o ministro Nelson Jobim, da Defesa, noticiou *O Globo* sem destaque algum. Em troca, segundo o jornal, Sarney abriria mão de concorrer à presidência do Senado, na eleição marcada para fevereiro de 2009. Tudo quanto pôde ele fez em nome do filho, com quem não podia sequer falar pelo telefone.

As aflições se deviam ao resultado da Operação que ganhou o nome de Boi-Barrica, em alusão ao grupo maranhense de bumba-meu-boi. À semelhança da Operação Chacal, que primeiro investigava a espionagem da empresa americana Kroll e depois se desdobrou na Operação Satiagraha, avançando nos tentáculos financeiros do honorável bandido Daniel Dantas, a Boi-Barrica revelou poderoso esquema de corrupção no governo federal, estrelando Fernando Sarney.

José Sarney acompanhava a investigação passo a passo. Vazamento é com ele mesmo. Por isso o senador, em vias de tornar-se octogenário, chegou na Sabatina Folha um tanto macambúzio para quem iniciava um festival comemorativo do meio século de carreira política. Tinha mais a ruminar azedumes.

"Vou ficar aqui trancado"

"Assim, estamos diante de uma complexa estrutura de crimes como formação de quadrilha, falsidade ideológica, fraude a licitações, tráfico de influência, lavagem de dinheiro com antecedente em crime contra a administração pública, organização criminosa e possível crime contra o sistema financeiro, bem como outros crimes contra a administração pública que podem ser comprovados a partir dos elementos obtidos na fase ostensiva, bem como o evidente crime fiscal."

Diante do relatório da Polícia Federal, comemorar o quê? Com agentes federais no encalço do filho Fernando José Macieira Sarney? Da nora Teresa Cristina Murad Sarney? Quase puseram a mão no comandante da Rede Mirante, retransmissora da Globo no Maranhão. Que risco passaram no meio de 2008, e que susto!

"... a preocupação do grupo, notadamente FERNANDO, é evidente quando do episódio ocorrido em São Paulo, em vigilância a Marco Bogea, quando FERNANDO orienta categoricamente os membros da organização."

OPERAÇÃO	*Boi-Barrica*
FONE-ALVO	*Fernando*
DATA	*18/07/2008*
OBS.:	*Fernando Sarney x Marquinho*

TRANSCRIÇÃO:
FS: Você está ligando de onde?
Marco: Eu estou ligando de um orelhão aqui da rua, mas...
FS: Sim, mas cuidado, você se acalma, cuidado porque não... daonde você liga, é eu, é ele, esse que é o problema, então cuidado, não adianta você ligar daí, resolve as coisas, vai pessoalmente, cuidado, muito cuidado...

No dia seguinte, 19 de julho de 2008, às 9h10 da manhã de sexta-feira, Fernando liga novamente de São Luís para Marco, que está aflito, não vá ele fazer besteira. O dia será tenso.

M: Quero saber se acontecer alguma coisa comigo? Não vai acontecer nada comigo não, né, Fernando?
FS: Não tem nada, absolutamente nada.

M: Não tem nada.

FS: Nada, então cuidado com aquelas outras coisas, aquela coisa toda, né?

M: Tá, aquela não tem nada, não.

Quinze minutos depois...

F: Ei, já te acalmou?

M: É, já tou mais calmo.

F: Então agora é o seguinte, a minha opção é das duas uma, ou a gente arruma um advogado ou alguém, e encara pra ver o que que está acontecendo, entendeu? Já que não tem nada demais — tu foste aí pra fazer seu check-up, essa coisa toda...

M: An-hã.

F: Tu tens alguma história pra... né?

M: An-hã.

F: E pra gente saber o que que eles querem. Mas aí, pra isso...

M: Presta atenção, o sujeito quer falar contigo aqui...

Gileno (porteiro): Seu Fernando?

F: Oi?

G: Eu tou com três deles aqui na frente da portaria do prédio e que que eu falo pra eles agora?

F: E o que eles querem?

G: Éééé... ãh?

F: Eles tão atrás do nosso amigo aí?

G: Isso, eu já tinha falado pra eles que não conhecia e tudo o mais.

F: Sim, deixa ele aí, e aguarda uma orientação [...] tá bom? E aí, de novo, esse rapaz passou aqui dois meses, fez uma operação, tirou um câncer e tal, ele tem vindo aqui fazer revisão, fez quimioterapia e tal, diz isso pra eles, tá?

G: Seu Fernando, só um minutinho...

M: Oi, Fernando.

F: A história é aquela, ficou tantos meses, fazendo quimioterapia, câncer, revisão, essa é que é a história, tá?

M: Tá bom, mas não quero sair daqui não, vou ficar aqui trancado.

F: Fica aí, fica aí aguardando autorização, tá bom?

UM RETRATO DO BRASIL
NA ERA SARNEY

CHARGES DE PAULO E CHICO CARUSO

© Chico

© Chico

— Ainda não entendi, mas o senhor está de parabéns...

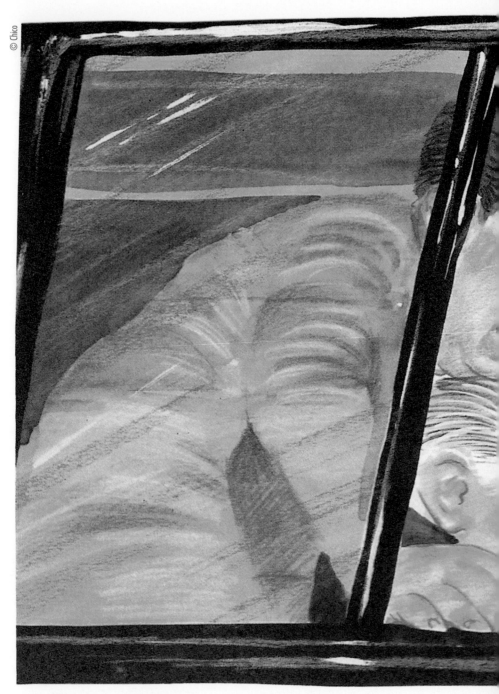

— Vire à direita . . .

O IMPÉRIO (DO MARANHÃO) CONTRA-ATACA

— Ficam suspensos todos os atos secretos do Senado,
inclusive os sexuais, por trinta dias fora o mês...

SOLUÇÃO CASEIRA

"Rapaz, que coisa, hein?"

Quem viu as imagens do pai de Fernando Sarney naquela sabatina, semblante fechado e porte alquebrado, teria a impressão de que ele participava de suas próprias exéquias. Mas só ele sabia a razão: o cerco da Polícia Federal estava se apertando, que vergonha!

"A organização criminosa ora investigada demonstrou de forma clara durante toda a investigação suas fortes ligações no setor público, bem como atuação em diversas áreas."

Sexta-feira, aquela mesma, faltando sete minutos para dez da manhã, Fernando Sarney liga para alguém em Brasília, nervoso.

F: *Presta atenção, houve um problema lá em São Paulo.*
Astrogildo: Houve?
F: *Houve, mas não é um problema... é o seguinte, nosso amigo chegou lá na [alameda] Franca, chegaram depois duas pessoas com a foto dele, se identificaram como agentes, atrás dele.*
Astrogildo: Atrás dele?
F: *É! Mas ele não fez nenhum contato, não tinha nada, né?, então, primeiro, aborta TUDO, tá? tá bom?*
Astrogildo: Tá, mas e aí? Tinha alguma coisa com ele?
F: *Não, não, por enquanto nada, eu só tou avisando para você dar última forma nas providências, tá? Cuidado aí, com todo cuidado, e diz para não acontecer nada, que segunda-feira você refaz o contato.*
Astrogildo: Rapaz, que coisa, hein?
F: *Pois é, agora vamos identificar de onde vem isso, tá? Ele está lá na Franca, os caras apareceram, seu Gileno escondeu ele e me ligou, e agora estou vendo o que fazer.*

"Deita aí, a polícia está atrás de ti"

O coronel repassa as quase oito décadas de vida e, nas fímbrias da consciência, ele que afinal de contas é imortal da Academia enxerga lá no fundo da alma que algo de podre deixará. E se Fernando for preso? Dentro de pouco mais de um mês, tem a Sabatina Folha. Já pensou?

Na interminável sexta-feira, 19 de julho de 2008, onze e meia da manhã, Fernando volta a orientar Marco Bogea, o Marquinho. Nunca deu atenção aos conselhos do pai, para não tratar de "certas coisas" ao telefone, agora está grampeado e não sabe que se enrola cada vez mais na teia da Polícia Federal.

M: *Foi, eu liguei do meu celular para o cara e pedi para ele marcar para mim, e o meu telefone já estava grampeado e eu não sabia.*
F: *Fica tranquilo, não tem nada demais, eu só sugiro que quando tu voltar dá uma geral em tudo, tá certo? Com cuidado com as coisas todas, entendeu? Porque agora já que tem monitoramento é bom tu, tá certo? Todo cuidado, todo cuidado é pouco, tá?*
M: *Tudo bem, tranquilo.*
F: *E, telefone, deixa aquele, fala normal e tudo, mas arruma logo um de cartãozinho, tá certo?*
M: *Tá certo.*
F: *Compra aí, em São Paulo mesmo, não lá mesmo, e tal, mas discretamente. Não no seu nome. Empregada, alguma coisa [...] Como foi na hora, Marquinho? Tu entraste...*
M: *Entrei, deixei minhas coisas lá em cima...*
F: *Como que teu telefone foi parar na mão do porteiro?*
M: *É porque eu deixei; quando fui descendo, os porteiros fizeram para eu não sair, aí mandou eu entrar para aquela cabine escura que eles ficam, falaram então "deita aí porque a polícia está atrás de ti".*

"SER PRESO? LARGA DE SER MALUCO!"

E o nome da operação? Boi-Barrica! Os canalhas não podiam inventar outro nome que nada tivesse a ver com as tradições carnavalescas do Maranhão? Fazem isso para me achincalhar, achincalhar a família. Eles me pagam.

"... observa-se que o Grupo Mirante, em que pese seja o 'dono' do evento MARAFOLIA e, em consequência, das outras atividades desenvolvidas pelo mesmo no Estado, como por exemplo a apresentação do Circo Nacional da China, que ocorreu na cidade de São Luís nos dias 14 a 16/03/2008, não aparece na composição societária..." "... os diálogos monitorados, por sua vez, denotam claramente que a empresa MARAFOLIA é administrada por FERNANDO, pois este é quem determina o que deve ser feito..." "... em diálogo monitorado de TERESA CRISTINA MURAD SARNEY com um membro do MARAFOLIA, ela pergunta claramente quanto teria sobrado pra eles no evento."

Noutro telefonema, chefe e chefiado combinam passar a perna num patrocinador poderoso, a Vale.

INTERLOCUTORES / COMENTÁRIO
Fernando x Márcio Abyara
DATA / HORA DURAÇÃO
15/02/2008 00:01:28
Márcio: Diga, chefe.
Fernando: Márcio, esqueci de te dizer o mais importante. O cara da Abyara se encontrou comigo ontem em São Paulo e me disse que quer tudo, que o Marafolia foi maravilhoso. Vamos mandar o Circo da China pra ele?
Márcio: Beleza.
Fernando: Prepara hoje mesmo que eu mesmo encaminho e fala comigo de tarde.
Márcio: Tá certo.
Fernando: Eu acho que dá pra gente ver, quanto é que nós estamos pedindo lá na Vale?
Márcio: ... 500 mil... fechado. Mas o valor do projeto mesmo é 200 mil.
Fernando: Faz a proposta pro Abyara com o pacote fechado tudo, e outro de uma cota, alguma coisa.
Márcio: Tou com o material na mão.

A malfadada sexta-feira 19 de julho de 2008 não acaba nunca. Já anoitece quando Fernando alcança em São Paulo o apavorado Marquinho.

OPERAÇÃO	*Boi-Barrica*
NOME-ALVO	*Fernando*
DATA	*19/07/2008*
HORÁRIO	*18:40:32*
OBSERVAÇÕES	*FS x Marquinho*

FS: Tudo bem, tá mais tranquilo?

M: Tô, tô, no resto tá tudo tranquilo, tá mais tranquilo... eu vou me embora, Fernando.

FS: Tá certo, tudo bem, tudo bem, não tem problema não, não tem problema não, vai embora, vamos saber de tudo direitinho segunda-feira.

M: Vê se consegue um habeas-corpus pra mim segunda-feira pra não deixar eu ser preso, tá?

FS: Não, rapaz!! Que preso, Marquinho, pra que que vão prender? Se prender, prende por que, rapaz? O que que tem? Tem algum motivo pra ser preso? Larga de ser maluco!

M: Não...

FS: Então!

M: Tá tranquilo então...

FS: Larga de coisa, não tem negócio de habeas-corpus nada, vamos saber o que está acontecendo...

"COMPUTADOR, ESSAS PORRAS TODAS, CUIDADO!"

Sexta-feira tranquila, mas nervosa; sossegada, mas agitada. Faltando três minutos para 19 horas, Flávio liga para Fernando. De orelhão...

FS: E aí? Agora... bom, nós temos que... é o seguinte: alguma ponta aí do elo está monitorada fortemente.

Flávio: Certo.

FS: Então nós temos que... você tem que avisar "lá", o pessoal, o nosso amigo "lá", né? Porque... ou é "ele" ou é "outra ponta" que eu não sei que que é, eu imagino o seguinte: ele deve ter ligado pra alguém.

Flávio: Hã-ham.

FS: E mais uma vez o nosso amigo que está no exterior (Gianfranco), diga pra ele com "todas as letras"... da seriedade das coisas, porque é o meu grande medo, você sabe disso... tá certo?

Flávio: Tá bom, vai cair o cartão, quer que eu ligue outra vez?

FS: Não, não precisa, e... COMPUTADOR, essas porras todas... cuidado, caralho!!!...

Cai a ligação.

O homem-bomba
da família Sarney

Colunista da página 2 da *Folha*, escrevendo sexta sim, outra também, Sarney vê na primeira fila da plateia Otávio Frias Filho, diretor de redação do jornal, e pensa que com o velho Frias seria mais fácil segurar notícias e manchetes desfavoráveis quando tudo explodir. Faz esforço para parecer seguro diante da plateia, malabarismos retóricos para "provar" que foi o presidente da transição democrática, que abriu caminho para o Plano Real e a estabilidade econômica do país, e mais, sem sua atuação no Planalto um metalúrgico jamais chegaria à Presidência da República. Tudo isso para, no final, na hora de correr para o abraço, ter que ouvir de um aposentado que se ergueu e, com voz firme e sem ironia alguma, a sério, proclamou:

"O senhor foi o melhor presidente que a 'revolução' teve!"

Numa frase, o desastrado admirador acabou com um ano de seus esforços de limpeza da biografia, que na sequência incluiria a própria biografia autorizada escrita pela jornalista Regina Echeverria, editada pelo grupo Leya, e o pôs de volta à dura realidade: Fernando é um homem-bomba dentro da família.

"No referido episódio, MARCO ANTONIO BOGEA saiu de Brasília, após contato com Astrogildo Quental, onde recebeu uma mala, cujo conteúdo não se pode determinar e, no dia seguinte, embarcou rumo a São Paulo num voo da TAM, em estado visivelmente tenso, a fim de levar a pedido de Astrogildo. Chegando em São Paulo, foi acompanhado, onde observou-se que ele se dirigiu até o apartamento de FERNANDO SARNEY, nos Jardins. (...) Por fim, ressalta-se, ainda, quanto às tentativas de obstrução à presente investigação, que FERNANDO SARNEY ingressou com novo pedido de extensão no habeas corpus impetrado perante o STJ (HC 97.622-MA), que tem grandes chances de ser deferido sem mesmo uma consulta ao Ministério Público Federal antes da concessão de liminar, como foi feito em todas as liminares que já foram deferidas."

"CRIMES ARQUITETADOS MAQUIAVELICAMENTE"

Haja *habeas*. O coronel que há quase meio século manda e desmanda no Maranhão, Estado que sob as rédeas da família Sarney se transformou no mais miserável do Brasil, o que teme o coronel? O que sente ao ler tais vergonheiras?

"As investigações demonstraram uma forte atuação da organização criminosa no setor energético do país. Suas relações e infiltração, notadamente no Ministério das Minas e Energia como um todo, se tornaram evidentes em inúmeros momentos da investigação..." "... com relação à ligação monitorada em Gian, diz pra Flávio pressionar o MME [ministro das Minas e Energia] EDISON LOBÃO para receber o Citibank em audiência..." "... no que tange às siglas, AFQ seria ASTROGILDO FRAGUGLIA QUENTAL e ELN = ELETRONORTE. Cabe frisar a nítida ingerência do grupo na área, inclusive com deslocamento de engenheiro da ELZ para desenvolver projetos do grupo. Menciona ainda a nomeação de RONALDO para a MANAUS ENERGIA, onde teriam 'muitas pendências'."

Sempre recomendei que jamais se falassem por telefone. De que adianta recomendar? De que adianta dar o exemplo? — o velho coronel se inquieta.

Mas o próprio coronel baixou a guarda pelo menos duas vezes. Malditos tempos do celular. Pegaram-lhe um diálogo de 3 minutos e 32 segundos com Fernando, em que o senador diz com todas as letras que conta com informações da Abin a respeito do inquérito ainda sigiloso sobre o filho. Deu no jornal:

Fernando Sarney: Olha aqui, e aquele negócio, alguma novidade?

José Sarney: Não, até agora ainda não deram nada.

Fernando Sarney: Muito bem, mas eu aqui já tive notícia do Banco da Amazônia.

José Sarney: É, né? Da Abin?

Fernando Sarney: Também.

José Sarney: Tá bom.

Fernando Sarney: Tá. Formal, semana passada chegou, é sinal que estão mexendo, mas o daqui eu sei a origem.

José Sarney: Do Banco Central?

Fernando Sarney: Não, daqui é juiz da primeira vara.

José Sarney: Então manda ver o processo.

Fernando Sarney: Já mandei, já mandei o Marcelo, já mandei ver.

José Sarney: O menino disse que já mandou para Marcelo, tudo para Marcelo olhar.

Fernando Sarney: Já mandou e viu tudo.

José Sarney:...

Fernando Sarney: Isso é um off, né, mas eu mandei ver agora o documento normal para que eu possa ver na internet do que é que se trata.

José Sarney: Não dá... o juiz... o processo.

Fernando Sarney: Não, foi em off, foi hoje de manhã que chegou a informação e eu tô agora concluindo ela.

José Sarney: Mas o menino me disse ontem...

Fernando Sarney: Já vi o processo todo. Eu chamei ele hoje de manhã e ele me contou tudo.

José Sarney: E não é esse o processo que está lá?

Fernando Sarney: Não, tem algumas coisas lá que ele disse que são algumas quebras de sigilo adicionais e que não tem informação suficiente e ele acha que pode ser isso.

José Sarney: Tá bom.
Fernando Sarney: Tá? Eu mandei averiguar.
José Sarney: Tá.

"Apesar de bem delineada a existência de organização criminosa, constata-se que ela tenta ser encoberta, notadamente com a utilização de códigos nas conversas e a preferência de tratar de assuntos pessoalmente, ao mesmo tempo em que os integrantes da organização se aproximam de políticos e servidores públicos em geral, com o objetivo de garantir sucesso financeiro em 'projetos' iniciados e a iniciar."

Quantas vezes mandei recado a Fernando, que viesse a Brasília falar comigo pessoalmente? Quantas e quantas vezes?

"Com o andamento das investigações foi possível identificar a existência, bem como os contornos básicos da Organização Criminosa (ORCRIM) ora sob investigação. Foi possível a identificação dos membros e sua estratificação, com os membros de primeiro escalão (FERNANDO JOSÉ MACIEIRA SARNEY), que coordena as práticas ilícitas (auxiliado por ASTROGILDO QUENTAL, atual diretor financeiro da Eletrobrás, e SILAS RONDEAU, ex-ministro das Minas e Energia), os executores em segundo (GIANFRANCO e FLÁVIO, proprietários das empresas onde é canalizado o valor oriundo dos desvios de dinheiro obtidos pela ORCRIM), bem como os participantes em terceiro nível (familiares, empregados e 'laranjas' de FERNANDO SARNEY), como por exemplo MARCO ANTONIO BOGEA, motorista de FERNANDO em Brasília e responsável por fazer pequenos pagamentos para o grupo.

"A dominação da ORCRIM em diversos setores da administração pública, sua estrutura e sua forma de atuação demonstra claramente que estamos diante de uma grande estrutura criada para sangrar os cofres públicos e praticar uma ampla gama de crimes arquitetados maquiavelicamente."

"Os trabalhos têm demonstrado a ativa participação da ORCRIM em 'projetos' envolvendo o Poder Público, notadamente na área de infraestrutura, com construção de obras públicas e atividades relacionadas à energia etc."

"Surge aí uma possível cooptação de diversos agentes públicos com objetivo de obtenção de vantagens, notadamente econômicas..."

"Tou é muito puto com seu chefe"

"... a ORCRIM tem se utilizado de seu poder político, notadamente pela influência do alvo principal e seu livre trânsito por diversas esferas de governo. (...) Diversas são as situações em que FERNANDO determina pagamentos e disciplina como deve ser o *modus operandi* do grupo. A título de exemplo, na ligação abaixo, FERNANDO indica claramente como deve ser feita a divisão de determinada quantia."

ALVO INTERLOCUTOR
98 81148199 11 83316393
DIÁLOGO 00:40s
FERNANDO fala para GIANFRANCO que é para ele fazer o que eles combinaram, que ele vai chegar, procurar aquele amigo deles lá na casa de ZEQUINHA, fala para GIANFRANCO que ele quer alugar um carro para Tetê (esposa de Fernando), que está em São Paulo, FERNANDO pergunta se GIAN tem algum esquema, GIAN fala que vai dar um jeito. FERNANDO diz que a outra coisa é o seguinte, diz que ele vai entrar lá para o nosso amigo e GIAN vai subtrair 1/6 (um sexto), GIAN confirma 1/6, FERNANDO diz que do 1/6 ele vai dar 20% lá para Tetê que está em São Paulo, GIAN confirma, FERNANDO diz que o restante ele divide com FLAVINHO, que depois eles veem isso.

No dia em que tudo isso vier a público, não quero estar mais no mundo dos vivos. Deixam-se gravar em altercações que incluem baixíssimo calão...

TELEFONE NOME DO ALVO
98 81117046 FLÁVIO LIMA
DATA 5 de maio de 2008 DURAÇÃO 00:10:12
ROMILDO disse que teria falado com ALEXANDRE e que conversaram sobre a perspectiva do novo lote. ALEXANDRE teria dito que iria pagar "aquela diferença", após sentar ele, o mano e FERNANDO. FLÁVIO se irrita, disse que o contrato estava com ele. ULISSES teria

saído há pouco dali e estava com tudo certo já e se encontrará com ele novamente na sexta.

F: Ô, Romildo, é o seguinte, deixa até eu sair da sala que eu vou falar besteira.

R: Flávio...

F: Olha, você vai mandar esse seu chefe à puta que o pariu, porque eu vou tá com o ASTRO amanhã. Eu vou chamar ele e falar: ó, nós não vamos mais fazer nada com a EIT, mais nada, só aquilo que não tem jeito.

R: Mas Flávio...

F: Não, vou te falar, ele tá querendo conversar com o Fernando? Ele tá pondo condição para pagar isso? À puta que pariu!

R: Não é isso não...

F: Que eu vou pagar mais, eu quero conversar? Vá tomar no cu! Entendeu?

R: Não é isso não...

F: Pague essa merda, que já tem um ano e tanto, você tá recebendo no colo essa bosta desse contrato, entendeu? E ele ainda vem dizer não, eu ainda preciso conversar, ó.

[...]

R: Pera aí, rapaz!

F: Eu tou puto mesmo! Ah, que eu quero conversar com o Fernando? Ah, tomar no cu! Então você faz o seguinte, liga para ele e diz: olha, é o seguin-te, o contrato está na mesa do Fernando, quer que eu mande um fax pra você? Eu mando. Sabe quem vai chegar com Fernando e com Ulisses pra fazer a porra da vistoria na sexta-feira? Eu!

R: Flávio...

F: Entendeu? E quer saber mais? Eu vou em outro trecho é pra ver se a gente pode pegar uma outra coisa, você vai tomar... manda seu chefe tomar no cu! Ah, porra, a hora que ele pagar você fala comigo, tá bom?

R: Pera aí, rapaz, ele vai pagar, Flávio.

F: Vai pagar porra nenhuma! Ele quer falar com o Fernando, tá fazendo doce! Vai te fuder! Eu vou falar com o Astro pra...

R: Não, Flávio...

F: Eu vou tá com o Silas (Rondeau) na terça-feira, vocês vão ver uma coisa! Ah, porra, ele é do conselho da Petrobras! Vocês vão... eu tou é muito puto com seu chefe, se você quer saber.

Como suportar
o insuportável?

"As investigações demonstraram uma forte atuação da organização criminosa no setor energético do país. (...) SILAS RONDEAU, ex-ministro de Minas e Energia, que deixou o cargo depois de denúncias de corrupção que vieram à tona na Operação Navalha, e ASTROGILDO QUENTAL são conhecidas personalidades políticas na área e exercem grande carga de influência no setor, a fim de beneficiar os negócios do grupo.

Vários 'projetos' mencionados durante o período de interceptações telefônicas dizem respeito a atividades da Petrobras e Eletrobrás, onde SILAS (membro do Conselho de Administração) e ASTROGILDO (diretor financeiro) exercem forte influência bem como possuem franco acesso."

Os trechos acima foram transcritos de um documento da Polícia Federal, enviado em 17 de agosto de 2008, pelo delegado Márcio Adriano Anselmo, ao juiz federal de São Luís do Maranhão Neiam Milhomem Cruz, a respeito das investigações sobre a ORCRIM (Organização Criminosa) chefiada por Fernando Sarney, filho do senador José Sarney. Documento sigiloso. Mas não sigiloso para um coronel velho de guerra, mais matreiro que raposa mineira. E que agora cofia os bigodes pensando em que fazer para se esquivar do inesquivável, aos quase oitenta anos teme que não suportará o insuportável.

O relatório não deixa dúvidas: qualquer rolha de concreto, qualquer barragem nas hidrelétricas brasileiras pagava pedágio a Fernando Sarney. Quando José Sarney fazia um discurso no Senado, dizendo que Belo Monte, no rio Xingu, na terra dos caiapós, vai ser a redenção da Amazônia, pode ficar certo de que, muito antes que as comportas se fechem, a alegre turma de Fernando já entrou em campo, faturando.

Capítulo 12

Os piores momentos do Congresso Nacional

Lama jorra • Os aprontos de duas irmãs e seus dois maridos • O único

punido queria investigar o "mau uso de celulares" pelos senadores! • Rolando

Lero cuida do Orçamento da nação • A turma de Sarney não tem limites

---

O Senado brasileiro, criado com a Constituição de 1824 outorgada pelo imperador Pedro I, ao atingir seus 185 anos de existência é a cara de José Sarney. Mal se elegeu pela terceira vez para presidir a quase bicentenária Casa, naquele 2 de fevereiro de 2009, o velho senador passou a confirmar seus presságios. Ele nem havia esquentado a cadeira, e um mar de lama passou a jorrar. Lama fétida. Sem parar. A tal ponto que, seis semanas depois, recebendo a visita do prefeito de São Paulo, desabafou:

"Não sei por que agora resolveram tirar todos os esqueletos do armário."

FEITO BAGAÇO DE LARANJA

Era um esqueleto atrás do outro. Todos devidamente etiquetados com a marca Sarney de qualidade. O primeiro, o já mencionado Agaciel, é amigo de Sarney, nomeado por ele. Foi ele, Sarney, quem escancarou a porteira para a entrada de 181 "diretores", mais de dois para cada um dos 81 senadores — são três por unidade da Federação (26 Estados e o Distrito Federal). Tem diretor até de autógrafo, ou seja, o responsável pela coleta de assinaturas dos distintos representantes do povo na alta câmara. A porteira para a multiplicação dos servidores quem abriu também foi ele, em seu segundo mandato. A orgia das passagens aéreas, que se disseminou pelo Congresso feito praga, quem inaugurou foi ela, a Roseana.

Tudo é secreto na imensa caixa-preta em que se transformou o Congresso Nacional. Uma caixa-preta opaca, impenetrável à higienizadora luz do sol. Há diretores ganhando mais de 35 mil reais, funcionários-fantasma que rondam corredores e gabinetes. O nepotismo disfarçado — "eu emprego sua filha, você emprega minha mulher". E, no meio de junho de 2009, explodiu mais um segredo de polichinelo, com este livro já em fase de finalização: o escândalo dos atos secretos.

A divulgação desta aberração obrigou José Sarney a ocupar a tribuna do Senado na tarde de terça-feira, dia 16 de junho, não para pedir votos dos outros 80 senadores, como naquele 2 de fevereiro, mas para escapar da renúncia, menos de cinco meses após assumir a presidência da Casa. A manobra foi urdida por Sarney e Renan Calheiros, com a cumplicidade de um colega do mesmo jaez: Gim Argello.

Vem a ser o suplente de Joaquim Roriz, do PMDB do Distrito Federal, que renunciou em julho de 2007. Um grampo da Operação Aquarela, da polícia civil, pilhou o septuagenário senador Roriz, ex-governador do DF, negociando com Tarcísio Franklin de Moura, ex-presidente do BRB, Banco de Brasília, a divisão de uma bolada de 2 milhões e 200 mil reais. A partilha se daria no escritório de Nenê Constantino, dono da companhia aérea Gol, indiciado em 2009 por um assassinatozinho legal, acusado de ter mandado matar Marcio Leonardo de Souza Brito, líder de um grupo de 100 pessoas que ocupava terreno dele numa cidade-satélite de Brasília. Roriz disse que ia pegar apenas R$ 300 mil, emprestados de Nenê, para comprar uma bezerra e ajudar um primo.

Como todo rolo, não colou. E a revista *Veja* ainda publicou naqueles dias que Roriz ia usar parte da dinheirama para subornar juízes do Tribunal Regional Eleitoral do Distrito Federal para escapar a processo movido contra ele por irregularidades nas eleições do ano anterior, 2006.

Assumiria em seu lugar o suplente Gim, tão enrolado quanto Roriz, acusado de grilagem de terra e, para encurtar a história, respondendo a seis processos ou inquéritos civis e criminais.

Esse era o Gim que se juntou a Sarney e Renan para barrar o movimento pela saída do presidente do Senado, o cada vez mais vulnerável coronel do Maranhão. O movimento ganhava corpo na imprensa e no próprio Senado, e fervia no dia mesmo em que o Ministério Público anunciou que ia investigar a maracutaia secreta administrada pelo "seu" ex-diretor na Casa, Agaciel Maia, por sua vez na semana seguinte descoberto em nova falcatrua: graças aos tais atos secretos, aumentou o próprio salário a níveis acima do valor mais alto que o teto do funcionalismo público e dos próprios ministros do Supremo, teto de R$ 24.500. Que bom, quando a reportagem funciona. O repórter Leonardo Souza, da *Folha de S. Paulo*, apurou que Agaciel ganhou em 2006 quase meio milhão de reais, ou R$ 415 mil, média de R$ 34.583 por mês.

Em vez de chegar ao que interessava — responder à denúncia de nomeação de oito parentes seus no meio de mais de mil daqueles atos secretos —, o coronel derivava. Obrigou os 74 senadores no plenário a ouvir a mesma lengalenga da manhã daquele 2 de fevereiro fatídico. No mesmo tom lamuriento, ainda mais acabrunhado, mãos tremendo, palavras não batendo com gestos, gaguejando, replicou que nunca houve falcatrua que envolvesse sua figura. Listou mais uma vez medidas que tomou para modernizar a Casa nas gestões passadas e outras que estava tomando para conter a onda de corrupção que se avolumava. Recorreu até a apelação de mencionar a cirurgia que Roseana acabava de fazer em São Paulo. Proclamou que tinha uma família constituída, quem sabe aludindo ao que os humoristas vinham enquadrando como "formação de família". E pediu respeito à sua biografia.

Estava nas cordas, pedindo uma toalha que não lhe jogavam, nem sequer o presidente da República, que num telejornal daqueles dias, agônicos para o senador, deu de ombros quando o questionaram, "estive hoje com o presidente do Senado, ele me disse que está investigando tudo", respondeu Lula, como se dissesse "ele que se vire".

O caso do neto, filho ilegítimo de seu filho caçula, dodói da mamãe, punha-o à beira do nocaute técnico. Sobre a grave crise na Casa, sofismou que o que está posto em xeque no mundo é a representação democrática. Coisa que ele sempre pôs em cheque. Além de se dizer "reserva moral", insistiu na limpeza da biografia, afirmando-se um democrata.

"A crise não é minha, é do Senado", tentou, numa "frase infeliz" segundo *O Globo*.

Até o jornal do poderoso Roberto Marinho, que o chamava outrora de "meu guri", deixa-o ao desamparo, no editorial do dia seguinte. O velho coronel se sente como laranja que os Marinho chuparam e agora cospem o bagaço.

"QUANTO MAIS RICO, MAIS RIDICO"

Já que o velho coronel não explicou, explicamos nós. Os atos não eram tão secretos assim. A tática do honorável ex-diretor Agaciel Maia vem de longe. E foi aperfeiçoada em sua terra, o Rio Grande do Norte, nos anos de 1960, pelo governador Aluízio Alves, que os militares golpistas cassaram por corrupção.

Simples: imprime-se apenas um exemplar do boletim administrativo com o ato desejado. Pode ser uma gorda sinecura, uma autorização de despesa hospitalar, uma viagem para o exterior com diárias polpudas, uma vaguinha nos 81 gabinetes dos senadores ou qualquer demanda do interesse da quadrilha enquistada na Casa — e nada se publica.

Foi assim com João Fernando Sarney, de 22 anos, neto do presidente do Senado e filho de seu caçula, Fernando, nascido fora do casamento. O jovem havia sido exonerado do gabinete do senador amigo Epitácio Cafeteira — Sarney jura que não foi ele que pediu — para não atropelar a súmula antinepotismo baixada pelo STF. Para o lugar do garoto, e abiscoitando o salário de R$ 7.600, foi contratada a mãe dele. Direito adquirido, e pronto. Não é segredo que Rosângela Terezinha, ex-candidata a *miss* Acre, sempre ocupa cargos no próprio Senado ou em empresas terceirizadas da Casa. Um parlamentar sarneyzista deixa claro, entre o indignado e o sincero:

"Fernando apenas cumpre sua obrigação de pai."

Perfeito. Paga a pensão alimentícia, de preferência com o nosso dinheiro; é claro que também bancava naqueles dias duas sobrinhas de Sarney e outros cinco parentes nomeados por "atos secretos". O caldo entornou por razões alheias a Sarney. Foi por obra do senador demo Heráclito Fortes, com nome do filósofo grego que acreditava no fogo como perpetuador da matéria. Heráclito, da bancada do honorável banqueiro Daniel Dantas, esquentou ao ver que a coisa estava ficando mais feia que ele. Na condição de primeiro-secretário, espécie de prefeito da Casa, cansou do papel de porta-voz, a explicar as estripulias da gangue. Ele sim, não Sarney, mandou investigar tudo para salvaguardar sua imagem.

Heráclito tem "independência" para isso. É milionário, casado com uma das maiores herdeiras do Brasil, da família Brennand — o sogro vendeu o cimento Atol para uma multinacional francesa, negócio de mais de 1 bilhão de reais. O político piauiense, ex-deputado federal e ex-prefeito de Teresina, não só refugou o esquema de corrupção como não segurou nenhuma informação sobre os escândalos, quebrando a coluna de Agaciel, o ex-diretor-geral, e João Carlos Zoghbi, diretor de Recursos Humanos, que mantiveram, sob o comando de Sarney, por 15 anos, o verdadeiro poder no Senado.

Só tem um problema: sabe quem puseram para chefiar a comissão criada para apurar os atos secretos? Doris Marize Romariz Peixoto, diretora-adjunta do Senado. Doris exercia o cargo de chefe de gabinete de Roseana Sarney até ela reassumir a Capitania Hereditária do Maranhão. Fechou mais um círculo, não?

Ninguém consegue controlar a folha de pagamento dos 9.512 funcionários do Senado, entre ativos, aposentados e pensionistas. As horas extras não aparecem nos contracheques, e são pagas inclusive em período de férias dos senadores.

Mas, o que esperar dos senadores se o próprio presidente da Casa — e a preside pela terceira vez! — é um manancial de maus exemplos? Já dávamos este livro como pronto quando, em 28 de maio de 2009, estourou mais uma: o velho coronel vinha, com outros colegas, recebendo de maneira irregular o "auxílio-moradia" de R$ 3.800 mensais, ou R$ 45.600 por ano. Sarney tem casa em Brasília, o que o impede de receber o "auxílio".

O caso do honorável-mor é mais grave que o de outros senadores que vinham pondo a mão na bolada mensal indevidamente, pois desde aquele 2 de fevereiro de 2009, quando seus pares o elegeram presidente, Sarney morava na residência oficial do Senado, aquela que Roseana conspurcou montando ali um cassino de fim de semana. E ele ainda enfia no bolso mais aquele "dinheirinho" público. Ele que, com seus negócios e os negócios da família, amealha num mês fortuna que nós, mortais comuns, não conseguiríamos, mesmo que trabalhássemos mil anos. É por isso que o povo diz:

"Quanto mais rico, mais ridico."

FURTADO PRESO
POR FURTAR

A pressão pela renúncia de Sarney chegava ao auge na penúltima semana de junho de 2009, apenas quatro meses depois do fatídico 2 de fevereiro. Tempos vertiginosos. Uma voragem para baixo. O velho coronel dá um suspiro de alívio na quinta-feira, 25 de junho, quando a mídia em peso se volta para a morte do astro *pop* Michael Jackson. Mas a saraivada de golpes não parava. Em 48 horas, concentraram-se denúncias das mais variadas fontes e naipes.

Em *O Estado de S. Paulo* aparecem dois assessores do Senado "que batem ponto no memorial" de Sarney em São Luís. Um está no cargo desde 1995 e ganha salário de R$ 7.600: Raimundo Nonato Quintiliano Pereira Filho, conhecido como Raimundinho, "coordenador de projetos da Fundação José Sarney". O outro, Fernando Nelmásio Silva Belfort, diretor-executivo do museu e mausoléu de Sarney, estava na folha de pagamento da Casa, com salário de R$ 2.500, entre agosto de 2007 e abril de 2009, quando Roseana era líder do governo no Congresso. Em abril, Roseana, já governadora, o nomeou "gestor de atividades meio" da Secretaria de Assuntos Agrários.

Raimundinho, ao ganhar o cargo no Senado em 1995, foi para o gabinete de Edison Lobão. Sarney presidia a Casa. O "assessor" continuou na folha de pagamento e, no momento da denúncia do *Estadão*, estava lotado no gabinete de Edinho Lobão (PMDB-MA), filho do ministro Edison Lobão. Como os círculos se fecham! Com a reportagem do jornal paulista, Raimundinho se encrespou, "não tenho que dar informação a vocês", disse ao telefone. Negou que trabalhasse no museu-mausoléu e, quando o repórter disse que o nome dele até aparece no *site* da Fundação, desligou. Não era tudo. Na mesma quinta-feira 25 de junho, em que Michael Jackson morreu, o mesmo *Estadão* publicava reportagem sobre outro neto do velho coronel, que havia dois anos vinha negociando dentro do Senado empréstimos consignados para servidores, aquele dinheirinho que o assalariado toma emprestado do banco e devolve, com juros, descontando prestações direto do pagamento mensal.

O neto é filho do deputado Zequinha Sarney, do Partido Verde. Será que o avô, com duas décadas de Senado, nunca soube das ações desse neto banqueiro? Não se vexou de um neto realizar transações financeiras no lugar onde o avô exerce quase total poder?

O Globo, onde outrora, nos tempos do "doutor" Roberto, o senador entrava pisando em tapete felpudo, anotou que "a informação de que um dos netos do presidente do Senado, José Sarney (PMDB-AP), opera no mercado de crédito consignado para servidores da Casa agravou nesta quinta-feira a crise na instituição". E deu voz ao senador gaúcho Pedro Simon, do mesmo PMDB, que prometia pedir a renúncia de Sarney.

A quinta-feira havia começado negra para Sarney mal ele saía do banho, às sete e meia da manhã, com um despacho da Agência Estado na internet, sob o título **Empresa de neto de Sarney opera em esquema suspeito**. Assim principiava o texto:

"Alvo de investigação da Polícia Federal, o esquema do crédito consignado no Senado inclui entre seus operadores a empresa de José Adriano Cordeiro

Sarney, neto do presidente da Casa, o senador José Sarney (PMDB-AP). De 2007 até hoje, a Sarcris Consultoria, Serviços e Participações Ltda. recebeu autorização de seis bancos para intermediar a concessão de empréstimos aos servidores com desconto na folha de pagamento."

José "neto" disse que o faturamento anual da empresa é de "menos de R$ 5 milhões". Mas, numa chamada à parte, a nota da Agência Estado dizia que o negócio já havia movimentado 1 bilhão e 200 milhões de reais. A Polícia Federal vinha investigando a "mina de dinheiro", que "virou propriedade de familiares dos donos do poder". José Adriano abriu a empresa quatro meses depois que o então diretor de Recursos Humanos do Senado, João Carlos Zoghbi, inaugurou a Contact Assessoria de Crédito, que ganhou mais de R$ 2 milhões intermediando empréstimos com grandes bancos. Sarcris, nome da empresa do neto de Sarney, refere-se ao seu sobrenome e ao nome de seu sócio, Christian Alexander Hrdina, ex-colega de escola em Brasília. Mais tarde, os dois se juntaram a Rone Moraes Caldana. Nenhum dos três chegou aos trinta anos ainda, mas já trazem os olhinhos bem abertos.

O *Estadão* dava conta de que a Sarcris "não existe nos endereços que declara nos documentos oficiais". E que, tão logo se registrou, já ficou "autorizada a representar bancos de peso". O moço Sarney nega que tenha se beneficiado por ser neto do senador, mas chama atenção um fato: em dois casos pelo menos, os bancos primeiro credenciaram a empresa do neto de Sarney, só aí, sim, foram autorizados a operar crédito consignado no Senado. Primeiro dá cá o meu...

E havia mais. Em São Luís, no fim daquela quinta-feira 25 de junho, já passando das oito da noite, o *Jornal Pequeno* postava em seu domínio na internet que o deputado Marcos Caldas, do PTdoB, "exortou aos colegas a assinar uma nota de repúdio contra a nomeação de Luís Regis Furtado para o cargo de diretor financeiro da Empresa Maranhense de Recursos Humanos e Negócios Públicos, na estrutura do governo estadual". Caldas puxou o prontuário de Furtado e relembrou: ele foi acusado pela Polícia Federal de crime contra a economia popular, quando ocupou o cargo de gerente da Cobal, Companhia Brasileira de Alimentos, no Pará.

"Está aqui o retrato dele no jornal. Foi preso pela Polícia Federal, algemado, levado para Brasília. A notícia do desfalque saiu no Jornal Nacional e no Fantástico."

O deputado Caldas leu trecho de reportagem sobre a causa da "demissão sumária" de Furtado: o Inmetro (Instituto Nacional de Metrologia) constatou variação de peso para menos "em todos os pacotes verificados". E perguntou aos seus pares:

"É justo o Maranhão aceitar alguém que veio expulso do Pará por meter a mão no dinheiro público, tirando trinta gramas de quilo de arroz e de feijão? Três vezes mais do que o permitido por lei no desfalque daquele peso?"

Caldas advertiu a governadora Roseana Sarney, então licenciada por razões de saúde, "sobre o passado de Luís Regis na administração pública".

"Ele já foi pego com a mão na botija. É o mesmo que colocar a raposa tomando conta do galinheiro", discursou, informando ainda que Furtado morou em Bacabal e teria saído de lá foragido. "Até ação de despejo ele teve em Bacabal, por não pagar aluguel."

Como se não bastasse, naquelas 48 horas ainda vem a Folha Online levantar a notícia de que Doris Marize Romariz Peixoto, nova diretora de Recursos Humanos do Senado, nomeada por Sarney, foi nada menos que chefe de gabinete da ex-senadora Roseana Sarney. Tudo em casa. Esta entrou no Senado no mesmo trem da alegria de 1984, aquele pilotado pelo senador do PDS Moacyr Dalla, que também levou Roseana. Doris chefiava o gabinete de Roseana quando o Senado nomeou, por ato secreto, Maria do Carmo de Castro Macieira, prima de Roseana por parte da mãe, Marly, mulher do velho coronel. Quem assinou o ato de nomeação da prima de Roseana foi o então diretor-geral da Casa, Agaciel da Silva Maia, que caiu em março de 2009 por esconder da Receita e da Justiça sua casa de R$ 5 milhões — ele que, naquele 25 de junho, no meio da grita que pedia sua demissão, tratou de entrar em licença por 90 dias.

Doris Marize, agora diretora de Recursos Humanos, entrou no lugar de Ralph Campos, afastado depois da revelação de que a instituição havia publicado desde 1995 mais de 600 atos secretos para nomear e exonerar parentes de parlamentares, e aumentar salários de funcionários. E quem presidia a comissão de sindicância que investigava atos secretos no Senado? Lembra-se? Doris!

ÓBVIO: O ÚNICO
PUNIDO ERA HONESTO

O parlamentar brasileiro é um dos mais caros do mundo. No momento em que Sarney chegava ao cinquentenário de sua carreira política, a folha do pessoal custava 2 bilhões e 200 milhões de reais por ano — 80% do orçamento da Casa. Mas ninguém consegue saber em que gastam, por que gastam. Nem sequer a Secretaria de Controle Interno sabe. Uma história talvez traga alguma luz sobre essa zorra total.

As irmãs Denise e Deliene, personagens conhecidas em Brasília pelo espírito independente, formam uma dupla inseparável desde a década de 1980. Denise é casada com João Carlos Zoghbi, ex-diretor de Recursos Humanos do Congresso; e Deliene com Marco Aurélio Costa, dono do restaurante Piantella, reduto de políticos.

Denise, funcionária graduada do Senado, manteve esse espírito independente com o senador Edison Lobão, de quem foi chefe de gabinete na segunda metade dos anos 1990. A deputada Nice Lobão não aprovou a independência de Denise no cargo, a julgar pelo bafafá que se instalou certa tarde no anexo onde ficam os gabinetes dos senadores. Anexo do sexo. Aos berros, a deputada expulsou Denise do gabinete do marido Lobão. Denise nunca mais pisou ali. De qualquer forma, assim que pôde, Edison Lobão nomeou João Carlos para a diretoria de Recursos Humanos.

Denise, por sua vez, prosseguiu batalhando ao lado do marido. Havia muito trabalho pela frente. Independente de carteirinha, montou para os filhotes uma empresa chamada Contact, acima citada no caso no neto de Sarney e sua empresa Sarcris. Tal e qual, a Contact ficou autorizada a fechar contratos de crédito consignados com o Cruzeiro do Sul e outros 35 bancos habilitados sobre a folha de pagamento do Senado. Um negócio daqueles. Movimentou 1 bilhão e 200 milhões de reais de 2006 a maio de 2009.

Havia um problema: os meninos não podiam aparecer no contrato. Problema? Não para Denise e João Carlos. Botaram a Contact em nome da ex-babá das crianças. Maria Isabel Gomes, aos 83 anos, com longos serviços prestados ao casal, nunca soube que chegou a faturar R$ 2 milhões de uma só tacada do banco Cruzeiro do Sul, o campeão na concessão de empréstimos aos funcionários da Casa.

Como vimos em capítulos anteriores, esse negócio de usar gente humilde como laranja não costuma dar certo. Renan Calheiros e Edison Lobão Filho que o digam. Mesmo assim, João Carlos Zoghbi resolveu tentar. A vocação para o trambique fala mais alto. João Carlos, primeiro apanhado com a história de filho a morar de graça em apartamento funcional, que o obrigou a pedir demissão da diretoria do Senado, teve que entrar com pedido de aposentadoria quando o novo escândalo veio a público. Não sem antes atirar em outro apadrinhado da turma de Sarney: ele e Denise acusaram o ex-diretor-geral Agaciel Maia de ser dono de todas as empresas terceirizadas do Senado. Perto disso, a mansão de 5 milhões de reais que ele escondeu do Fisco não é nada.

Vamos fechar mais uma vez o círculo: o advogado Antônio Carlos de Almeida Castro, o já famoso Kakay, assumiu a defesa de João Carlos e Denise. Para não dizer que não falamos de flores, lembremos que Kakay é sócio, no badalado restaurante Piantella, de Marco Aurélio Costa, marido de Deliene, irmã de Denise etc.

Eis o Senado que Sarney diz que modernizou, em seu discurso de posse, naquele 2 de fevereiro de 2009.

No meio da grita, o único cidadão punido foi Carlos Roberto Muniz, exonerado da Diretoria de Comunicações, cargo que ocupava desde 2004, porque tentou fazer um estudo sobre o "mau uso dos celulares" pelos senadores.

INCANSÁVEIS, INSACIÁVEIS

Os leitores de jornais, perplexos, tiveram um momento de hilaridade quando souberam que, no meio de uma reforma de infraestrutura no subsolo do Senado, o ex-primeiro secretário da Casa Efraim de Morais, do ex-PFL da Paraíba, havia autorizado a construção de uma cela. Era, explicou Efraim, para prender quem cometesse crime dentro da Casa. Qual crime?

Custo da obra: 569 mil reais. Valor de um imóvel de primeira categoria em qualquer lugar do mundo. Eles merecem.

Depois da eleição, veio a guerra que o cidadão comum não percebe. Deputados federais e senadores se engalfinham para decidir quem fica com qual comissão. E quem apoiou Sarney, é claro, vai ficar com a parte do leão.

As fotos não mentem. Uma delas mostra, na internet, naquele 2 de fevereiro de 2009, três mãos superpostas, em comemoração, no meio do plenário, as mãos dos grandes vencedores: Sarney, Renan e Fernando Collor, que abiscoitou a Comissão de Infraestrutura. Significa que iria "fiscalizar" o Plano de Aceleração do Crescimento, o PAC. Uma versão pós-moderna de "fiscal do Sarney".

Não houve registro em fotografia, mas o leão dos leões foi o Almeidinha, a quem Renan e Sarney entregaram a Comissão Mista de Orçamento, que engloba Câmara e Senado e organiza receitas e despesas do governo federal. Ele é José Almeida Lima, foi vice-prefeito de Aracaju e deputado. É também conhecido como Rolando Lero, em alusão a mais um personagem de humorístico de televisão, o aluno da Escolinha do Professor Raimundo que enrola, enrola... e enrola. A este enrolador caberia dizer como usar mais de 1 trilhão de reais, tamanho do orçamento da nação para 2010.

Diante do quadro, duas figuras respeitadas do Congresso se manifestaram: o senador pernambucano Jarbas Vasconcelos, do mesmo PMDB de Sarney; e o senador pelo Distrito Federal Cristovam Buarque, do PDT, que havia sido candidato a presidente da República nas eleições de 2006.

Jarbas, na revista *Veja* de 18 de fevereiro de 2009, quando mal começavam os escândalos, declarou que a maioria dos políticos de seu partido só pensa em corrupção.

Cristovam foi além. No dia 6 de abril, no plenário do Senado, propôs um plebiscito para o povo brasileiro dizer se o Congresso deve continuar funcionando ou deve ser fechado.

Contudo, mesmo com a mídia em peso de olho, a denunciar diariamente um escândalo atrás de outro, a turma de Sarney tentou derrubar a diretoria do fundo Real Grandeza, dos funcionários de Furnas e da Eletronuclear, para controlar a administração de um patrimônio de 6 bilhões e 300 milhões de reais. Uma diretoria que gozava da confiança de funcionários e pensionistas, tanto que eles foram às ruas em sua defesa. Essa diretoria, entre outros feitos, tinha conseguido recuperar um prejuízo de 153 milhões de reais causados pela gestão anterior. Vamos ainda uma vez fechar o círculo: o citado prejuízo deveu-se a um investimento "furado" no Banco Santos. Aquele do amigo de Sarney, Edemar Cid Ferreira, cuja falência o Banco Central decretou.

O cidadão brasileiro que viveu nos tempos em que decorreram tais fatos tinha boas razões para sentir desânimo com a política e com os políticos. Eles são incansáveis, insaciáveis. A turma de Sarney e todos aqueles que comungam com seus métodos e gravitam em torno deles não têm limites.

Epílogo ilustrativo

No momento em que ponho ponto final nesta história, o Maranhão emerge de um dilúvio. Águas de março, abril e maio de 2009. A divina providência pôs à prova seu povo, já miserabilizado pela família da governante que mostra a que não veio.

Na tevê e nos jornais, imagens. Numa delas, a mulher e seu bebê dormem na rede, como outros desabrigados que ocupam "um hospital abandonado", sem banheiro, energia elétrica ou água potável. O povo que se lasque. A governadora Roseana Sarney não se abalou. Cuidava da

O Brasil e o mundo em 80 anos de José Sarney

1929. Sarney Costa e uma de suas duas mulheres, Kyola de Araújo, geram JS, em julho. Bancarrota do capitalismo com o *crack* da Bolsa de Nova York. Cafeicultores sofrem um baque.

1930. JS nasce em 24 de abril, sob o signo de Touro, com nome popular no Maranhão: José Ribamar.
Assassinato de João Pessoa no Recife a 26 de julho, por motivos passionais, detona a Revolução de 1930: nas eleições presidenciais, o paraibano Pessoa era o vice do gaúcho Getúlio Vargas. Eclode a revolução em outubro, após eleições fraudadas que deram vitória ao governista Julio Prestes. Deposto o paulista Washington Luiz, Vargas assume o poder.

1931. Inaugurado o edifício mais alto do mundo, Empire State Building, em Nova York. Monteiro Lobato escreve *Escândalo do Petróleo* e prefacia *A Luta pelo Petróleo*, bases para o movimento *O Petróleo É Nosso*, que resultaria na criação da Petrobras. Ensino do inglês obrigatório: pá de cal no domínio francês sobre nossas elites. Inaugurado o Cristo Redentor, no Rio. JS começa a andar e sabe falar mamã e papá.

1932. O revolucionário de 1930 Lindolfo Collor, avô materno de Fernando, volta-se contra Getúlio exigindo a "reconstitucionalização" e junta-se à elite paulista na Revolução Constitucionalista, esmagada pelas forças legalistas. Com aflições agravadas pelo uso de sua invenção para fins bélicos, Santos Dumont, o Pai da Aviação, se mata enforcado no banheiro de sua casa do Guarujá, litoral paulista, em 23 de julho, três dias depois de completar 59 anos. Vargas cria carteira profissional, jornada de oito horas, salário igual para trabalho igual e licença maternidade de um mês. Institui voto secreto e direitos políticos para as mulheres. Estreias: José Lins do Rego publica *Menino de Engenho*; Erico Verissimo, *Fantoches*; Graciliano Ramos, *Caetés*; Villa-Lobos promove a primeira audição das Bachianas Brasileiras número 1.

1933. Gilberto Freyre publica *Casa Grande & Senzala*. Getúlio regulamenta férias para bancários e comerciários, aos poucos estendida a todos os trabalhadores. JS apaga três velinhas.

1934. Explode o movimento integralista, versão do fascismo, "camisas-verdes" desfilam aos gritos de anauê, de inspiração nazista, conspiram nos quartéis. Humberto Mauro filma *Ganga Bruta*. Nova Constituição nomeia Getúlio presidente por quatro anos, cria a Justiça do Trabalho e consagra o nacionalismo no capítulo Da Ordem Econômica e Social. Lamartine Babo lança a marchinha *Quem Foi que Inventou o Brasil?* Saem o Código de Minas e o Código de Águas, bases para a nacionalização das riquezas do subsolo. Fundada a Universidade de São Paulo, USP.

1935. Vargas cria a Voz do Brasil e entra no ar a Rádio Nacional. Prefeito paulistano Fábio Prado cria Departamento de Cultura e nomeia diretor Mario de Andrade, autor de *Macunaíma, o Herói sem*

Nenhum Caráter. Comunistas tentam golpe armado, desastroso, fortalecendo o lado reacionário do governo; Filinto Müller, chefe de polícia, transforma até navios em masmorras; integralistas queimam livros nas praças, a polícia tortura e mata, prendem Prestes e enviam sua mulher, a alemã Olga Benário, para os nazistas eliminar. JS faz cinco anos.

1936. Francisco Franco comanda forças que vão derrubar o governo republicano; brigadas internacionais rumam para a Espanha, mas o fascismo vence. O mineiro Gustavo Capanema, ministro da Educação, reúne intelectuais como Carlos Drummond de Andrade, Mario de Andrade, Candido Portinari, Villa-Lobos, Cecília Meireles, Oscar Niemeyer, Manuel Bandeira e outros, fazendo na Cultura o que não fez na Educação, entregue a reacionários. Um garoto viaja de Carazinho a Porto Alegre, onde começa a vida como engraxate e jornaleiro; chama-se Leonel Brizola.

1937. Getúlio inventa o autogolpe: com apoio de generais, decreta estado de guerra, alegando iminência de guerra civil, acossado à esquerda e à direita; fecha Câmara, Senado, Assembleias e Câmaras municipais e instala o Estado Novo, em 10 de novembro. Na gravação de *Carinhoso*, letra de João de Barro, Pixinguinha acompanha Orlando Silva: um clássico. Jorge Amado se impõe com o romance social *Capitães da Areia*. Getúlio decreta: jogar capoeira não é mais crime. JS faz a primeira comunhão e se alfabetiza.

1938. Hitler anexa a Áustria e é aclamado em Viena. Getúlio e a família armados de revólveres repelem dúzias de integralistas que invadiram o Catete de madrugada e o sitiaram por horas sem que nenhuma das Forças Armadas o socorresse. Polícia alagoana cerca o bando de Lampião e degola dez; as cabeças de Lampião e Maria Bonita ficariam 31 anos expostas no Instituto Nina Rodrigues de Salvador. Getúlio cria um populista ao nomear interventor em

São Paulo o médico Adhemar de Barros, que se orgulhava do lema "Rouba, mas faz". João de Barro e Alberto Ribeiro lançam o eterno sucesso de carnaval *Yes! Nós Temos Banana*. Samuel Wainer lança o mensário *Diretrizes*, fechado em 1940 pelo DIP, Departamento de Imprensa e Propaganda, por publicar texto de Lobato que diz: "O governo deve sair de um povo como a fumaça de uma fogueira."

1939. Hitler invade a Polônia; França e Inglaterra lançam ultimato; Itália fascista se faz de morta; começa a II Guerra Mundial. Malba Tahan (Julio César de Melo e Souza) lança *O Homem que Calculava*. Inaugurada a Rio-Bahia, toda de terra. Carmen Miranda canta *O Que é Que a Baiana Tem?*, de Dorival Caymmi, no filme americano *Banana da Terra*, e fixa-se em Hollywood. Ary Barroso lança na voz de Francisco Alves *Aquarela do Brasil*, hino nacional informal.

1940. Quinto recenseamento: somos 41 milhões de brasileiros, metade analfabetos e, destes, a maioria mulatos e negros. Otto Niemeyer, embaixador dos bancos londrinos, exige o pagamento de nossas dívidas. Graças à guerra, são eles que acabam nos devendo. Mancomunados com brasileiros corruptos, "pagam" superestimando a dívida histórica e nos empurrando o ferro-velho em que se transformaram suas ferrovias. Novo Código Penal pune com 4 anos de prisão quem faz aborto e, com 3 anos, a própria mulher. Gaúcho Mario Quintana estreia com *Rua dos Cata-Ventos*. JS conclui o curso primário.

1941. Governo incentiva compositores a parar de exaltar malandragem e valorizar o trabalho. Surge *O Bonde São Januário*, de Wilson Batista e Ataulfo Alves: *O bonde São Januário/ Leva mais um operário/ Sou eu quem vai trabalhar*. Getúlio comanda festa de 1º de Maio lançando a Justiça do Trabalho, no estádio do Vasco, com corais regidos por Villa-Lobos. I Congresso Umbandista Nacional. Rádio Nacional lança radionovela brasileira: *Em Busca da*

Felicidade. Nasce a chanchada, com Oscarito e Grande Otelo. JS inicia o curso secundário.

1942. Com navios nossos atacados, declaramos guerra ao Eixo (Alemanha-Itália-Japão). Coca-Cola chega graças a decreto que permite marcas com "ingredientes secretos". Seca empurra nordestinos para o sul. Delfim Netto começa a trabalhar como contínuo na Gessy Lever. Criado o Serviço de Aprendizagem Industrial, SESI. Cruzeiro vira unidade monetária — acaba o mil-réis, ou *merréis*, que deriva em *merreca*.

1943. Vargas vence entreguistas e cria a Companhia Nacional de Álcalis e a Fábrica Nacional de Motores, responsável pelo fenemê. Criados os territórios do Amapá, tirado do Pará; Rio Branco (Roraima), tirado do Amazonas; e Guaporé (Rondônia), com terras mato-grossenses e amazonenses. Getúlio promulga a CLT — Consolidação das Leis do Trabalho. O empresário nacionalista Roberto Simonsen tenta criar banco de fomento à indústria, mas grupos anti-indústria e entreguistas impedem, liderados por Gastão Vidigal e Eugênio Gudin. Musicólogo Curt Lange publica resultado de pesquisas em igrejas mineiras, que mostra a excelente qualidade da nossa música barroca. Estreia no Rio *Véu de Noiva*, de Nelson Rodrigues: um basta nas comediazinhas de costumes. Clarice Lispector surge com *Perto do Coração Selvagem*. No carnaval só dá Hitler: João de Barro e Alberto Ribeiro atacam de *Adolfito Mata-Moros*; e Haroldo Lobo e Roberto Roberti, de *Que Passo é Este, Adolfo?* JS entra na puberdade.

1944. Parte para a Itália a FEB, Força Expedicionária Brasileira (23 mil pracinhas), e eclode a campanha pela anistia. Josué de Castro funda o Instituto Técnico de Alimentação, para estudar as causas sociais da fome, "praga fabricada pelo homem". Surge a UDN, União Democrática Nacional, e o udenismo, "equivalente político da colite crônica" no dizer de Darcy Ribeiro; pretende eleger presidente o onanista Eduardo Gomes, com o mote "Vote no brigadeiro, é bonito e é solteiro". O marxista Leôncio Basbaum cria a editora Vitória, do Partido Comunista.

1945. Pracinhas voltam, ovacionados com Getúlio; oficiais voltam "americanizados". Getúlio inaugura Volta Redonda, início de nossa industrialização. Luiz Gonzaga e Humberto Teixeira lançam novo ritmo — *Eu vou mostrar pra vocês/ Como se dança o baião*. Abdias Nascimento funda o Teatro Experimental do Negro. Nasce a Confederação Geral dos Trabalhadores do Brasil, CGTB. Getúlio anistia mais de 500 presos; cria o PTB, Partido Trabalhista Brasileiro, com a mão esquerda, e com a direita, o PSD, Partido Social Democrático. Gaspar Dutra e Góis Monteiro, que ajudaram Vargas a fundar o Estado Novo, o depõem; nas eleições, apoiado por Getúlio, vence Gaspar Dutra, general fascista e bronco. Hugo Borghi, empresário e político de São Paulo, cria uma rede com mais de cem rádios, pela qual lança o queremismo — da consigna Queremos Getúlio: ele voltará. JS, aos 15 anos, entra no Liceu Maranhense.

1946. Sai nova Carta, que nos regerá até o golpe militar de 1964; foi a melhor que tivemos. Dutra fecha cassinos e proíbe o jogo, inclusive o jogo do bicho, provocando uma gargalhada nacional. Lideranças militares se politizam e surgem duas alas: a dos democratas nacionalistas, que engloba o historiador Nelson Werneck Sodré, o brigadeiro Teixeira; e a dos reacionários entreguistas, com Juarez Távora, Eduardo Gomes, Cordeiro de Farias — cujas crias udeno-golpistas vão instaurar a ditadura facinorosa em 1964: Golbery, Castelo, Bizarria Mamede. Dutra suprime o direito de greve e mantém os salários arrochados. Guimarães Rosa publica *Sagarana*, ficção; e Josué de Castro, *Geografia da Fome*, realidade. Editora Brasiliense publica as obras completas de Monteiro Lobato. Em agosto, americanos explodem bombas atômicas sobre Hiroxima e Nagasaki, matando centenas de milhares de civis: "fecho de ouro" da guerra.

1947. O Supremo e o Congresso Nacional dão consentimento para a cassação do PCB e de todos os parlamentares comunistas. O Brasil rompe com a União Soviética. Leonel Brizola se elege deputado estadual. JS conclui o curso secundário.

1948. Fundada a SBPC, Sociedade Brasileira para o Progresso da Ciência. César Lattes identifica e isola o méson, partícula do átomo. Assassinado na Índia por um fanático religioso o líder pacifista Mahatma Gandhi. Proclamado o Estado de Israel.

1949. JS cursa advocacia. Mao Tse-tung ocupa Xangai com seu Exército Popular e sela a vitória da Revolução Chinesa. Dutra visita Truman, o presidente que jogou bombas sobre o Japão, e o povo faz piada: "How do you do, Dutra?", pergunta o americano, e Dutra: "How tru you tru, Truman?" Dutra, o bronco, mantém 234 sindicatos sob intervenção. Inaugurada a Escola Superior de Guerra, que vai fazer a cabeça de líderes civis e militares para combater tudo quanto cheire a comunismo: é a guerra fria. Fundada em São Paulo a Vera Cruz, indústria de cinema.

1950. Surge anedota em São Luís: pelas ruas, o desembargador Sarney Costa carrega sob o braço uma caixa de madeira. Diz a quem pergunta o que é: "Esta é a urna do meu filho Zé." JS entra na vida pública como assessor do pai. Guerra da Coreia: Truman pró Coreia do Sul, Mao pró Coreia do Norte. Vargas, entrevistado pela *Folha*, profetiza que, agora eleito pelo voto, grupos internacionais e "brasileiros inescrupulosos" tentarão impedi-lo de dar "independência econômica" ao Brasil: "Terei de lutar. Se não me matarem...". A Aeronáutica cria o Instituto Tecnológico da Aeronáutica, o ITA. O Brasil chora: perde a final da Copa para o Uruguai, em pleno Maracanã. Naturista Elvira Pagã eleita rainha do carnaval carioca. Editora Abril inicia atividades com a infantil *Pato Donald*, com direitos que Victor Civita comprou de Walt Disney.

1951. Francisco Alves grava Retrato do Velho, sucesso no carnaval: *Bota o retrato do velho/ Outra vez./ Bota no mesmo lugar./ O sorriso* *do velhinho/ Faz a gente trabalhar.* Mensagem de Vargas ao Congresso dá *show* de competência: aponta soluções para agricultura, abastecimento, infraestrutura, problemas sociais, inspirador do Programa de Metas de JK. Inaugurada hidrelétrica de São Francisco. Promulgada Lei Afonso Arinos, que admite que há racismo no país e o proíbe em bares, restaurantes e hotéis. Abre-se a I Bienal de São Paulo, com 1.800 trabalhos de 21 países; nossos vencedores: Volpi (pintura), Brecheret (escultura); Goeldi (gravura); e Aldemir Martins (desenho). Getúlio propõe ao Congresso a criação da Petrobras. Samuel Wainer lança o diário *Última Hora*, inovando na linguagem popular, na defesa dos interesses dos trabalhadores, na posição nacionalista e único a defender medidas patrióticas de Getúlio. JS se inclina à UDN, que aglutina antigetulistas furiosos na Banda de Música, regida por Carlos Lacerda.

1952. Em 12 de julho, aos 22 anos, JS casa com Marly Macieira. Klecius Caldas e Arnaldo Cavalcanti fazem sucesso no carnaval com *Maria Candelária*, alta funcionária ao gosto da Era Sarney: *À uma vai ao modista/ Às duas vai ao café/ Às quatro vai ao dentista/ Às cinco assina o ponto e dá no pé/ Que grande vigarista que ela é.* Criada a CNBB, Conferência Nacional dos Bispos do Brasil, atrasada como a Igreja pré-João XXIII. Lançada a semanal *Manchete*, de Adolfo Bloch, em cores, tomando nacos de leitores de *O Cruzeiro.* Comoção nacional em setembro: em acidente de carro na Rio-São Paulo, morre Francisco Alves, o Rei da Voz, lançador de *Aquarela do Brasil.* Ademar Ferreira da Silva, medalha de ouro em salto triplo nas Olimpíadas de Helsinque, Finlândia. Revolta de presos na Ilha Anchieta reprimida com mais de cem mortos. Wander Piroli e José Maria Rabelo estão entre os fundadores d'*O Binômio*, semanário de Belo Horizonte que só cala sua verve quando os milicos chegam ao poder em 1964. Getúlio estatiza a geração de energia elétrica. Aristides Inácio da Silva e Eurídice Ferreira de Mello deixam Pernambuco com oito filhos e, de pau-de-arara, vão para São Paulo; instalam-se primeiro na litorânea Vicente de

Carvalho; o penúltimo filho, aos sete anos, vende amendoim e tapioca nas ruas, seu nome é Luiz, mas o chamam de Lula. JS cursa o último ano de Direito.

1953. Morre em março Stalin, deixando um monte de comunistas brasileiros desarvorados. JS forma-se em Direito em São Luís. Vargas implanta a Petrobras, com monopólio total da extração e parcial do refino de petróleo, comprando briga definitiva com entreguistas e seus amos internacionais; não vai durar mais que um ano no Catete. Carlos Lacerda, Assis Chateaubriand, Roberto Marinho, animados pela Banda de Música da UDN, movem campanha odienta contra Samuel Wainer e sua *Última Hora*; o alvo é Getúlio, já que Samuel tomou empréstimos com o Banco do Brasil — ao qual, aliás, toda a grande imprensa devia dinheiro. Jânio Quadros elege-se prefeito de São Paulo com a campanha "tostão contra o milhão". *O Cangaceiro*, de Lima Barreto, é premiado em Cannes. Cecília Meireles lança *Romanceiro da Inconfidência*.

1954. JS torna-se um dos editores de *A Ilha*, revista que anima o modernismo (de 1922!), ao lado de poetastros como Ferreira Gullar e Bandeira Tribuzzi. Quarto centenário de São Paulo festejado em janeiro. Francisco Julião, advogado pernambucano defensor dos pobres, cria as Ligas Camponesas. Oswald de Andrade publica o primeiro volume de memórias, *Sob as Ordens de Mamãe*, e morre. Vargas cumpre o que disse à *Última Hora* dias antes de 24 de agosto: "Só morto saio do Catete"; Mata-se com um tiro no coração; povo ataca jornais golpistas, *O Globo*, *Tribuna da Imprensa*, embaixada americana, sedes da Esso, da Light; oposição desaparece apavorada; a Carta Testamento, lida durante o dia nas rádios, é um documento que todo brasileiro devia conhecer. Outubro. JS elege-se quarto suplente de deputado federal; tem 24 anos.

1955. Em julho, Carlos Lacerda divulga a Carta Brandi, falsa: certo peronista teria ligações com Jango, vice de JK para as eleições presidenciais de novembro. Eleitos, JK e Jango sofrem campanha feroz da direita raivosa; na *Tribuna da Imprensa*, Lacerda escreve que os dois "não podem tomar posse"; general Lott depõe o sucessor de Getúlio, Café Filho, e garante a sucessão constitucional. João Cabral de Melo Neto publica *Morte e Vida Severina* e Ariano Suassuna, *Auto da Compadecida*. Morre do coração em Hollywood Carmen Miranda, em 5 de agosto; o corpo chega dia 12 e, quase um ano depois do fatídico 24 de agosto de 1954, de novo 1 milhão de pessoas toma as ruas do Rio para uma homenagem fúnebre.

1956. JK promete fazer o país avançar "50 anos em 5": cria a Novacap, Empresa Construtora de Brasília, e inicia o Programa de Metas, lançando a moda dos Grupos Executivos, alguns mais importantes que ministérios. Guimarães Rosa publica *Grande Sertão: Veredas*, um marco. Augusto Boal, no Teatro de Arena de São Paulo, renova a dramaturgia brasileira no palco e desenvolve seu Teatro do Oprimido. Publicado no Brasil o Relatório Kruchev do XX Congresso do PC soviético, em que denuncia crimes de Stalin, deixando um monte de comunistas sem pai nem mãe. Tensão em São Paulo: greve geral por aumento de 20% nos salários, corroídos pela inflação desenfreada. Paulistas, cariocas e belo-horizontinos já possuem 260 mil aparelhos de televisão. A suburbana carioca Adiléia da Silva explode cantando versos como "A vida acaba um pouco todo dia"; seu nome artístico: Dolores Duran. Tom e Vinicius se conhecem e começam parceria, que já no ano seguinte nos dará *Chega de Saudade*.

1957. Russos lançam o primeiro satélite artificial, o Sputnik, em outubro, comemorando o 40º aniversário da Revolução Russa de 1917. Entramos na era do supermercado e do *rock'n roll*. Anísio Teixeira publica *Educação Não É Privilégio*.

1958. Já chamam JS de "José do Sarney", o que remete ao pai, cujo prenome, segundo algumas fontes, foi tirado da edição de 1901 do Almanaque Bristol e, segundo outras, é o abrasileiramento de Sir Ney, inglês a quem Sarney Costa deveria favores. Nos sagramos campeões do mundo na Suécia, com Didi, Garrincha e Pelé "dando seu baile de bola", como cantou Jackson do Pandeiro. Leonel Brizola, governador gaúcho, em feito inédito no país, encampa as multinacionais Bond & Share e ITT. EMFA, Estado Maior das Forças Armadas, aprova a doutrina de segurança nacional — o inimigo é "interno": o comunismo. Na esteira das denúncias dos "crimes de Stalin", dá-se um racha: passa a haver o Partido Comunista Brasileiro, PCB, de linha soviética e antistalinista; e o do Brasil, PCdoB, de linha chinesa e stalinista. A "indústria da seca" prospera; frentes de trabalho financiadas pelo governo atendem aos latifundiários; donos de barracões que atendem 200 mil flagelados fornecem comida cobrando 20% de juros diários para um salário de 40 cruzeiros. Raimundo Faoro publica *Os Donos do Poder*, análise do burocratismo de nossas classes dirigentes. Jorge Amado publica *Gabriela Cravo e Canela*. O povo paulistano elege vereador o rinoceronte do zoo Cacareco, com mais de cem mil votos, zombando dos políticos. Nasce Roseana, primeira filha de JS, que se elege deputado federal pela UDN.

1959. Em 1º de janeiro, Fidel Castro, Che Guevara e todos os barbudos entram em Havana, os vitoriosos da Revolução Cubana. Em 2 de fevereiro: JS assume primeiro mandato, deputado federal. Militares e civis de direita fundam o Ibad, Instituto Brasileiro de Ação Democrática, que vai financiar com dinheiro multinacional atividades antinacionais e golpistas. JK rompe com o FMI, que condiciona um empréstimo de US$ 300 milhões ao abandono do Plano de Metas. Governo cria a Sudene, Superintendência do Desenvolvimento do Nordeste, sob direção de Celso Furtado, que publica *Formação Econômica do Brasil*. O pernambucano Abelardo Barbosa, o Chacrinha, estreia na TV Tupi do Rio: "quem não se comunica, se estrumbica", ensina. A Bossa Nova brilha com *Desafinado* e *Samba de Uma Nota Só*.

1960. Sétimo censo geral: somos 71 milhões de "brasileiras e brasileiros", como se dirigirá a nós JS em seus discursos. JK inaugura Brasília e encarrega Darcy Ribeiro de planejar a Universidade, UnB. O fanático Plínio Correia de Oliveira funda a TFP, Tradição Família e Propriedade, para "salvar" o Brasil do comunismo. Jânio Quadros, ator histriônico, faz a UDN de JS chegar ao governo federal pelo voto; nos EUA, elege-se John Kennedy. Vergonhoso: Otávio Mangabeira, líder do partido de JS, a UDN, beija a mão do presidente americano Eisenhower, que visita a Câmara dos Deputados.

1961. Bomba em agosto: Jânio, primeiro presidente a tomar posse em Brasília, renuncia com sete meses de mandato, alegando que enfrenta "forças terríveis". Militares golpistas querem impedir a posse do vice, Jango, que visita a China. Solução: parlamentarismo, votado a toque de caixa; Jango assume, mas quem vai governar será um primeiro-ministro. Kennedy, assustado com a Revolução Cubana, lança a Aliança para o Progresso: é mais barato subornar políticos do que invadir países. Surge a Bossa Nova da UDN, à qual JS adere. Editora Abril lança a feminina *Claudia*, destinada a mulheres modernas. Glauber Rocha, "com uma câmera na mão e uma ideia na cabeça", estreia com *Barravento*. Ideólogos, empresários e ativistas de direita fundam o Ipes, Instituto de Pesquisas e Estudos Sociais, que vem somar esforços e dinheiro ao Ibad, para derrubar Jango e inserir o Brasil no sistema econômico mundial a serviço e a reboque do império; JS está nessa, bem como jornalões e canais de tevê; têm costas quentes: Estados Unidos.

1962. Brasil bicampeão no Chile, sem Pelé, machucado, mas com Garrincha, endiabrado. Tom e Vinicius compõem *Garota de Ipanema*, uma das músicas mais gravadas e tocadas no mundo. Empresários Octavio Frias de Oliveira e Carlos Caldeira Filho compram a *Folha de S. Paulo*. Jango cancela registro de jazidas de minério de ferro em Minas, concedidas fraudulentamente à Hanna

Corporation. Miguel Arraes eleito governador de Pernambuco; obriga senhores de engenho a pagar salário mínimo, e as estradas conhecem grande movimento de caminhões carregados de bacias para banho, camas e outros "luxos". Com a direita assustada, até inimigos ferozes se reconciliam, como Julio de Mesquita, do *Estadão*, e Assis Chateaubriand, dos Diários Associados. Jango sanciona 13º salário. *O Pagador de Promessas*, de Anselmo Duarte, ganha Palma de Ouro em Cannes.

1963. Junho. Jango encontra Kennedy em Roma para os funerais de João XXIII; reclama apoio para as "reformas de base" e denuncia a conspiração contra ele; Kennedy diz que nada pode fazer (e seria assassinado em novembro). O IV Exército reprime no Recife milhares de camponeses que pedem reforma agrária. Adhemar de Barros, governador paulista, dá armas e munições a fazendeiros e a para fascistas urbanos. Dominicanos lançam o semanário combativo *Brasil Urgente*.

1964. Cara de Cavalo mata numa briga o policial Le Cocq, cujos colegas, do bando autodenominado "homens de ouro", cercam o marginal e descarregam nele seus revólveres; nasce o Esquadrão da Morte carioca. CPI do Ibad aponta seus financiadores: Ciba, Texaco, Shell, Schering, Bayer, GE, IBM, Coca-Cola, Souza Cruz, Belgo-Mineira, Herm Stoltz, Coty. Sandra Cavalcanti, secretária de Assistência Social do governo Lacerda na ex-Guanabara, resolve o problema da mendicância: atira mendigos no Rio da Guarda. Editora Civilização Brasileira enriquece o debate político lançando os *Cadernos do Povo*. Premiados em Cannes *Vidas Secas*, de Nelson Pereira dos Santos (baseado no romance de Graciliano Ramos) e *Deus e o Diabo na Terra do Sol*, de Glauber Rocha. Dalton Trevisan lança *Cemitério de Elefantes* e José Cândido de Carvalho, *O Coronel e o Lobisomem*. Fato do ano e maior tragédia brasileira do século a primeiro de abril: militares apeiam Jango do poder e implantam a interminável ditadura de 21 anos, que vai fazer a festa de JS e outros de sua estirpe.

1965. Em 26 de abril, Roberto Marinho põe a TV Globo no ar e passa a montar a "maior força desarmada" do país, da qual ele será o comandante e JS um de seus comandados diletos. JS muda em cartório seu nome para José Sarney de Araújo Costa, suprimindo o Ribamar; vira José Sarney. Baixam no Maranhão oficiais do Exército a mando de Castelo Branco, com missão de "eleger" JS governador; com tal apoio, e mais as Oposições Coligadas, inclusive PCB, JS derrota Victorino Freire e vira um jovem coronel. Jovem Guarda, título criado pelo publicitário Carlito Maia, explode na tevê com Roberto e Erasmo Carlos comandando o ieieiê nacional.

1966. Em janeiro, dia 4, vai às bancas o *Jornal da Tarde*, com linguagem e diagramação modernas, invenção de Mino Carta e Murilo Felisberto. JS assume o Maranhão em 31 de janeiro e Glauber Rocha filma a posse. No carnaval só dá *Tristeza*, de Niltinho e Haroldo Lobo a celebrar o inconformismo com a ditadura: *Tristeza, por favor vá embora/ Minha alma que chora/ Está vendo o meu fim/ Fez de meu coração a sua moradia/ Já é demais o meu penar/ Quero voltar a aquela vida de alegria/ Quero de novo sonhar.* Em abril, estreia *Realidade*, revista "*cult*" da Abril, forte na reportagem, com Paulo Patarra de redator-chefe e Sérgio de Souza de editor de texto. À falta de debate político, sufocado pelos milicos no festival da TV Record, duas músicas dividem o "eleitorado" nacional: a nostálgica e bela *A Banda*, de Chico Buarque, e a "politizada" *Disparada*, de Geraldo Vandré e Teo de Barros, que dividiram também o primeiro prêmio. Zé Kéti fecha o ano com sucesso não gravado, cantado sem parar no *réveillon* carioca: *Marchou com Deus pela democracia/ Agora chia, agora chia.*

1967. Castelo devolve à Hanna Corporation as maiores reservas de minério de ferro do mundo, que Jango havia nacionalizado em 1962. Constituída a Embratel, para estruturar o sistema nacional de telecomunicações. Criada a Sudam, Superintendência para o Desenvolvimento da Amazônia, com verbas para gente graúda comprar terras com empréstimos "de favor". Jornalista Hélio Fernandes preso: escreveu, sobre a morte de Castelo, que se foi um homem "vingativo e sem grandeza". Guimarães Rosa morre três dias depois de tomar posse na Academia Brasileira de Letras. TV Tupi moderniza a telenovela com *Beto Rockefeller*, de Bráulio Pedroso, com tema brasileiro e popular. *O Rei da Vela*, de Oswald de Andrade, encenada por José Celso, detona o tropicalismo, correspondente na música a *Alegria, Alegria*, de Caetano Veloso. Guevara morto na Bolívia a mando da CIA, que cria o maior mito do nosso tempo. Baderneiros invadem teatro em São Paulo, espancam atores e destroem cenário de *Roda Vida*, de Chico Buarque; no Rio, polícia cerca Teatro Opinião e proíbe *Navalha na Carne*, de Plínio Marcos.

1968. Oficial da PM mata a tiro Edson Luis, que participava de ato pela reabertura do restaurante estudantil Calabouço, desencadeando protestos que culminarão na Passeata dos Cem Mil, no Rio. Guerrilheiros matam em São Paulo o capitão Chandler, agente da CIA. Canção *Pra Não Dizer que Não Falei de Flores*, de Geraldo Vandré, enfurece a direita militar e vira hino: *Vem, vamos embora, que esperar não é saber/ Quem sabe, faz a hora, não espera acontecer*. Deputado Márcio Moreira Alves discursa na Semana da Pátria e sugere às moças que não dancem com os cadetes, desatando a fúria da linha-dura militar, o que resultará na edição do Ato Institucional 5, o AI-5: a ditadura passa a ter poderes de vida e morte sobre todo e qualquer cidadão.

1969. JS impõe a Lei de Terras no Maranhão, que expulsará 1 milhão de maranhenses de seu torrão e abrirá caminho ao clã Sarney para amealhar fortuna e poder inimagináveis. Governo Costa e Silva cancela eleições de 1970, proíbe professores punidos de lecionar em qualquer escola, estimula a repressão cultural. Cresce a contestação armada, única forma de ação que resta e que arrasta milhares de brasileiros destemidos; em resposta, surgem entidades repressivas nos "porões" da ditadura, onde a tortura vai campear. Capitão Carlos Lamarca abandona o Exército com homens e armas e adere à guerrilha. Guerrilheiros assaltam a casa da amante do falecido governador paulista que apoiou o golpe e levam um cofre, parte da "caixinha do Adhemar", com 2 milhões e meio de dólares. Instaurada a censura prévia. Lançado *O Pasquim* no Rio, sob direção do jornalista gaúcho Tarso de Castro. Entra no ar o *Jornal Nacional*, mostrando ao vivo a junta militar que assumiu o governo devido ao infarto sofrido por Costa e Silva. Vander Piroli renova a literatura infanto-juvenil com *O Menino e o Pinto do Menino*. A mídia noticia no mundo inteiro o milésimo gol de Pelé.

1970. JS elege-se senador pela Arena, Aliança Renovadora Nacional, partido da ditadura. E "faz" seu primeiro governador, o médico Pedro Neiva de Santana, indicação sua aos militares. Oitavo recenseamento: somos 99 milhões. Tricampeã no México, a seleção de futebol mais poderosa da história ajuda Médici a embalar o "milagre" — somos "noventa milhões em ação" e "ninguém segura o Brasil". Forças Armadas se americanizam de vez, com oficiais enviados para lavagem cerebral em "escolas" nos EUA e no Panamá. Loteamento da Amazônia avança, ali já possuem terras que não acabam mais Daniel Ludwig, Suyá-Missu, Codeara, Georgia Pacific, Bruynzeel, VW, Robin McGlohn; e vão entrar na mamata Anderson Clayton, Swift-Armour, Goodyear, Nestlé, Mitsubishi, Bordon, Mappin, Bradesco, Camargo Corrêa... O general de plantão Médici diz que o povo vai mal, mas o país vai bem, e anuncia a construção da Transamazônica, que engolirá verbas gigantescas e acabará abandonada. Criado o Incra, Instituto Nacional de Colonização e Reforma Agrária, para fazer a antirreforma: entregar mais terra aos ricos. Médici cria a Funabem e diz que fará outro "milagre": transformar aquilo em escolas. Paulo Freire publica nos EUA *Pedagogia do Oprimido*. Criado o Mobral, Movimento Brasileiro de Alfabetização, campanha de alfabetização despolitizante, formadora de "analfabetos funcionais". Guerrilheiros sequestram diplomatas do Japão, Alemanha e Suíça para trocar por centenas de presos políticos; vários presos já haviam sido assassinados na tortura. Sérgio de Souza, Narciso Kalili e Eduardo Barreto, egressos de *Realidade*, fundam outra revista "*cult*", *O Bondinho*. Dalva de Oliveira lança seu último sucesso: *Bandeira Branca*, de Max Nunes e Laércio Alves.

1971. Ano do "milagre", crescimento de 11%, por manipulação estatística, e um tanto pela exportação das múltis que embolsaram fortunas, outro graças ao arrocho salarial — que fez o povo ir mal, mas o país ir bem. O udenista Adauto Lúcio Cardoso, golpista de primeira hora, se demite do Supremo enojado — atira a toga no chão contra a aprovação da censura prévia. Oficiais da Aeronáutica matam a pancadas na Base do Galeão o deputado Rubens Paiva, por servir de pombo-correio de exilados no Chile; a Marinha monta escola de tortura na Ilha das Flores, baía da Guanabara, com assistência de "professores" americanos. Militares matam Lamarca no sertão baiano. Traduções fazem sucesso: *Cem Anos de Solidão*, de García Márquez, e *Jogo da Amarelinha*, de Julio Cortázar.

1972. CNBB, Conferência Nacional dos Bispos do Brasil, denuncia invasão de terras dos índios com conivência da Funai, Fundação Nacional do Índio. Paulo Helal e Dante Michelini, de famílias capixabas ricas, violentam e matam a menina Aracelli; impunes. Chega a televisão colorida. Por falta de anúncios, morre *O Bondinho*. Fernando Gasparian lança no Rio o semanário *Opinião*, capitaneado por Raimundo Pereira. Para não ofuscar o ufanismo no sesquicentenário da Independência, a ditadura proíbe qualquer menção a um surto de meningite.

1973. Sérgio de Souza e Narciso Kalili lançam o mensário de reportagem, política e quadrinhos *ex-* (eles eram ex-*Realidade*, ex-*Bondinho*). Chega a pílula anticoncepcional. Polícia política assassina o estudante paulista Alexandre Vannucchi Leme e outros 40 militantes de oposição. Eclode a Guerrilha do Araguaia, do PCdoB. Americanos escorraçados do Vietnã. Outro assassinato semelhante ao de Aracelli em Vitória: em Brasília, filhinhos de papai drogam, violentam e matam a menina Ana Lídia Braga; entre eles estão o filho de Alfredo Buzaid, ministro da Justiça, e o filho do senador arenista Eurico Resende, do Espírito Santo; impunes. Morre no exílio em Paris Josué de Castro. Sucesso na tevê é *O Bem Amado*, de Dias Gomes.

1974. JS engole a indicação de Nunes Freire para governador biônico, que rompe com ele; mas é cada vez mais o novo coronel. Polícia paulista pega 300 garotos infratores, põe em ônibus e os abandona, nus e espancados, alguns com fraturas, nos arredores de Camanducaia, Minas. Geisel substitui Médici como general de plantão; comparecem à posse Pinochet (Chile), Bordaberry (Uruguai) e Banzer (Bolívia); volta a mandar o grupo que articulou o golpe: a turma de Golbery do "Colt" e Silva, como o chamava o jornalista Hélio Fernandes. Primeiras eleições após dez anos de ditadura: o povo vai à forra, elegendo 16 senadores da oposição e dando uma surra de votos na Arena. Meningite mata milhares de crianças, por falta de informações, pois o governo segue proibindo que se noticie a epidemia. Crise do petróleo acaba com o "milagre". Inaugurada a Ponte Rio-Niterói, marco em roubalheira e mortandade de operários.

1975. Revolta surda no país com a morte do jornalista Vladimir Herzog na câmara de tortura do II Exército, São Paulo; o *ex-*, único jornal a publicar a reportagem completa, é "vitimado" pela censura prévia e fecha. Brasil e Alemanha firmam tratado secreto, de US$ 10 bilhões, de cooperação nuclear, para a construção de oito centrais atômicas e usinas de processamento de urânio. Meio Brasil vê *Gabriela*, com Sônia Braga, novela baseada em Jorge Amado. Revista *Argumento*, fundada por Elifas Andreato e outros intelectuais, fecha após apreensão do número 4.

Trapalhada de Jorge Murad em vésperas de casar com Roseana: designado depositário de bens de um tio falido, vende tudo e vai preso como "depositário infiel".

1976. Roseana Sarney casa com Jorge Murad. Outro assassinato no II Exército, do operário Manoel Fiel Filho, leva Geisel a despachar o comandante, general Ednardo D'Ávila. Jango morre na Argentina, vítima da Operação Condor: envenenado; JK morre em desastre de automóvel na Via Dutra, em circunstâncias mal esclarecidas. Gil, Caetano, Gal e Bethânia, os Doces Bárbaros, excursionam pelo país; em Florianópolis, perante policiais que invadiram o hotel e encontraram com um deles uma porção de maconha, o futuro ministro da Cultura Gilberto Gil assume que aquilo lhe pertence; preso, um juiz o libera sentenciando que não pode ser criminoso alguém que cria uma música como *Refazenda*. Morre Mao T-sé Tung. CPI comandada por Alencar Furtado mostra que empresas estrangeiras trouxeram investimentos de US$ 299 milhões e remeteram de volta, só entre 1965 e 1975, US$ 755 milhões; Geisel cassa o deputado. Manifestações contra a ditadura pipocam, Geisel cassa pencas de deputados e baixa a Lei Falcão, mancomunado com o ministro da Justiça Armando Falcão: propaganda na tevê só com foto 3 x 4 e breve biografia narrada por locutor; o povo a chama de Lei Facão. Terroristas da Aliança Anticomunista sequestram e seviciam dom Hipólito, bispo de Nova Iguaçu, jogam bombas na Associação Brasileira de Imprensa e outros alvos "de esquerda". Governo baiano acorda e elimina a exigência de registro na polícia para cultos afrobrasileiros. Dois sucessos: Sônia Braga em *Dona Flor e Seus Dois Maridos*, de Bruno Barreto; e Zezé Mota em *Xica da Silva*, de Cacá Diegues. Hamilton Almeida Filho, Mylton Severiano e Palmério Dória estão entre os lançadores do livro-reportagem, pela editora Símbolo, de Moysés Baumstein, com *O Ópio do Povo*, sobre a Rede Globo.

1977. Três marmeladas abrem o ano: a Torre Rio-Sul, na boca do túnel de Copacabana, esconde negociata de Moreira de Souza, financiador do Ipes, que financiou o golpe de 1964, dando prejuízo de 100 bilhões de cruzeiros aos cofres públicos; a Corretora Laureano recebe bilhões do Banco Central para escapar à falência, resultante de especulação; a Fundação Getúlio Vargas revela que as estimativas de inflação de 1973 foram fraudadas, a fim de rebaixar os salários. Estudantes fazem as primeiras grandes manifestações por democracia desde 1968; na PUC-SP, o coronel Erasmo Dias, secretário da Segurança, comanda pessoalmente um ataque com bombas, que chegam a mutilar uma universitária. Banqueiros mineiros enricam mais ao montar operação de favorecimento à Fiat para instalar-se em Minas. *Play-boy* Doca Street mata em Búzios, por ciúme, a bela e rica Ângela Diniz, causando repúdio da sociedade e da Justiça contra a tal "legítima defesa da honra". Congresso aprova o divórcio. Morre Carlos Lacerda. Geisel, divisando nova derrota, baixa o Pacote de Abril: nomeia 17 senadores, como fez Calígula, que pôs seu cavalo Incitatus no senado romano; aumenta para seis anos o mandato do próximo general de plantão, Figueiredo. Mato Grosso vira dois, com a criação de Mato Grosso do Sul. Primeira mulher na ABL: Rachel de Queiroz, autora de *O Quinze*.

1978. Em janeiro, Geisel já avisa a Arena: seu sucessor será Figueiredo, que declara sobre a abertura política: "É para abrir mesmo, e quem não quiser que eu abra, eu prendo e arrebento."
JS faz João Castelo, prefeito de São Luís, virar governador biônico do Maranhão; eles romperiam relações mais tarde. Paulo Maluf, comprando votos, bate Laudo Natel na eleição indireta e torna-se governador biônico de São Paulo. Fernando Sarney, formado na Politécnica de São Paulo, a pedido do pai, vai trabalhar no governo Maluf. O piauiense Petrônio Portella, ministro da Justiça, é o artífice da abertura política: revoga o AI-5, torna elegíveis os cassados, restabelece o *habeas corpus*. Henry Kissinger e o ministro de Minas e Energia Shigeaki Ueki acertam grande negociata: a "compra" da Light. Eleições sob a Lei Falcão resultam

em 15 senadores e 231 deputados da Arena contra 8 senadores e 189 deputados do MDB. Antunes Filho põe no palco antológica adaptação de Macunaíma, "herói de nossa gente", de Mário de Andrade; viaja por mais de 20 países e se torna o espetáculo brasileiro mais visto no exterior. O cacique xavante Juruna sai de gravadorzinho gravando burocratas e políticos, ganhando a opinião pública para impedir a medida que permitiria a qualquer burocrata da Funai declarar uma tribo extinta. Primeiro movimento grevista em dez anos para indústria automotiva no ABC paulista e projeta um líder nacional: Lula.

1979. Grupo Folhas fecha *Última Hora*, comprada de Samuel Wainer em 1968. Assume a presidência o último general de plantão, o cavalariano João Baptista Figueiredo, carrancudo e grosso, daqueles que dizem que "mulher e cavalo só se conhece montando". Consuma-se a negociata: "compramos" a Light por mais de US$ 1 bilhão, apenas dois anos antes de vencer a concessão em São Paulo (11 no Rio) e tudo passar para nós de graça. Figueiredo sanciona a Lei de Anistia e a segunda metade do ano é só alegria de brasileiro voltando. Surgem o PT de Lula e o PDT de Brizola; Arena, partido de JS, vira PDS — Partido Social Democrático, depois PFL, Partido da Frente Liberal. Série da TV Globo *Malu Mulher* joga para as massas pela primeira vez temas como divórcio, orgasmo, aborto, na trilha aberta 13 anos antes pela revista *Realidade*. Durante greve de metalúrgicos paulistas, PM mata o líder sindical Santos Dias da Silva. Revolta em São Luís de JS, iniciada com protesto contra aumento de passagem de ônibus; a estúpida repressão deixa vários mortos e centenas de feridos. O ano acaba com a Novembrada em Florianópolis: estudantes afrontam Figueiredo, que sai no braço, contido por seguranças; o ministro das Minas e Energia César Cals leva um pé-douvido.

1980. Recenseamento: somos quase 120 milhões. Frank Sinatra se apresenta no Maracanã para 140 mil pessoas, com cachê de quase 1 milhão de dólares. João Paulo II nos visita; diante da multidão em Teresina, exclama: "Meu Deus, este povo tem fome." Em Manaus, durante a missa lê os nomes de cinco caciques assassinados por grileiros. Metalúrgicos do ABC e mais 15 cidades paulistas entram em greve por aumento; ministro do Trabalho Murilo Macedo intervém em sindicatos; polícia prende 13 líderes, enquadrados na Lei de Segurança Nacional, entre eles o futuro presidente Lula. Terrorismo de direita: bombas por toda parte, na OAB carioca mata a secretária Lyda Monteiro; atentados só param depois do "acidente de trabalho" no Riocentro (ver 1981). Duas grandes perdas: morrem no Rio Vinicius de Moraes aos 66 anos e Nelson Rodrigues aos 68. Maridos mineiros com dor de corno matam suas mulheres; a revista *Doçura*, fundada por Narciso Kalili, publica a reportagem *Os Maridos Assassinos de Minas Gerais*, de Carlos Azevedo: é fechada por corte de patrocínio (o assassino retratado era de família "influente"). Um maluco mata a tiros em 8 de dezembro em Nova York o ex-beatle John Lennon, aos 40 anos.

1981. João Paulo II ferido a tiros em atentado. Bomba explode no colo de um sargento que, com um tenente, dentro de um automóvel Puma, se prepara para detonar a caixa de força do Riocentro, onde mais de mil pessoas veem um *show* de Primeiro de Maio (forças superiores evitaram monumental tragédia). Escândalo da Mandioca: Cr$ 1 bilhão (R$ 30 milhões) desviados do Banco do Brasil de Floresta, Pernambuco, para financiar safra vão parar na conta do major PM José Ferreira dos Anjos e outros; da pena de 30 anos, o major cumpriu 10. Cientistas americanos relatam primeiros casos de rara doença a que nomeiam síndrome de imunodeficiência adquirida, com a sinistra sigla em inglês: aids. Criada a CUT, Central Única dos Trabalhadores. Começam as obras da usina de Tucuruí; custo de US$ 2,1 bilhões chegaria a US$ 10 bilhões; patrimônio da empreiteira Camargo Corrêa dobra, de US$ 500 milhões para US$ 1 bilhão. EUA lançam primeiro ônibus espacial. Morrem duas figuras geniais do nosso cinema: Amácio Mazzaropi, aos 69 anos, e Glauber

Rocha, aos 48. Bill Gates vende o primeiro modelo de computador, com seu programa MS-DOS, dando início à era dos computadores pessoais.

1982. 19 de janeiro: aos 36 anos, vítima de uma mistura de cocaína com álcool, morre a cantora Elis Regina. Nas primeiras eleições estaduais desde 1965, JS emplaca Luiz Rocha governador pelo PDS; o herdeiro de Luiz, tucano Roberto Rocha, figuraria duas décadas depois na frente anti-Sarney; a oposição colheu vitórias por todo o país, com uma especialmente festejada: Brizola, no Rio, depois de enfrentar fraudes na manipulação de votos pela Proconsult, com cumplicidade da Rede Globo. Encontrado em praia fluminense o corpo de Alexandre Baumgarten, diretor de *O Cruzeiro*, que havia divulgado dossiê acusando o chefe do SNI, general Newton Cruz, como responsável por sua presumível "extinção física"; o caso, nebuloso, não deu em nada. Só no Brasil: Taça Jules Rimet, conquistada com o tri no México, é roubada da sede da CBD, no Rio.

1983. Vai-se a guerreira Clara Nunes, durante operação simples, de varizes, primeira mulher a bater recorde de vendas no primeiro disco gravado, deixando o samba de luto; e vai-se Garrincha, a alegria do povo. *Marines* invadem Granada, no Caribe, e depõem presidente socialista eleito. O PT faz em São Paulo, em 27 de novembro, o primeiro comício pró-eleições para presidente; reúne 10 mil pessoas e detona o movimento Diretas Já. JS é contra Diretas Já. Figueiredo enfrenta crise da dívida externa impagável de US$ 88 bilhões indo ao FMI, Fundo Monetário Internacional, que manda para cá certa Ana Maria Jul, enfiar goela abaixo o remédio: arrocho salarial, recessão, inflação, fome, desemprego, falências, quebradeira geral, PIB em queda.

Outubro. Eleição de Raúl Alfonsín põe fim à ditadura militar na Argentina, que em apenas sete anos prendeu, torturou, matou, 30 mil pessoas, muitas delas desaparecidas. Chega o *compact disc*, o cd.

1984. 25 de janeiro: 300 mil em comício na Praça da Sé por Diretas Já; Rede Globo noticia como "festa pelo aniversário de São Paulo". 25 de abril: na São Luís do Maranhão do sarneyzista Luiz Rocha, enquanto o Congresso decide contra o voto popular para presidente, o povo que se manifesta a favor das Diretas Já é fartamente espancado.

Julho. Pela primeira vez em 20 anos, greve "política", de petroleiros e metalúrgicos: protesto contra a política econômica do governo. O modelo carioca Luiz Roberto Gambine Moreira vira celebridade com o nome de Roberta Close, que tempos depois viria a fazer operação cirúrgica para mudar de sexo. JS rompe com PDS e vai para a Frente Liberal (raiz do Pefelê e, depois, DEM); de presidente da Arena e do PDS, transmuta-se em vice na chapa oposicionista moderada com Tancredo. 13 de agosto: PMDB homologa chapa Tancredo-Sarney e Figueiredo pede "união em torno de Maluf".

1985. Funciona em São Paulo a primeira Delegacia da Mulher. Eleito no Colégio Eleitoral, Tancredo adoece e morre; toma posse na Presidência o vice, JS. Polícia Federal identifica ossada do médico nazista Joseph Mengele, responsável pela morte de meio milhão de pessoas em campos de concentração nazistas; desde o fim da guerra o "anjo da morte" vivia no Embu, Grande São Paulo, onde estava enterrado, depois de morrer afogado numa praia de Bertioga, litoral paulista. Governo Sarney começa mal: proíbe *Je Vous Salue, Marie*, do francês Jean-Luc Godard, versão da trajetória da sagrada família, alegando que fere nossa "religiosidade". Roque Santeiro, novela de Dias Gomes, é liberada depois de dez anos proibida e conquista o país com as peripécias da viúva Porcina (Regina Duarte) e Sinhozinho Malta (Lima Duarte).

1986. Nave Challenger explode 73 segundos após o lançamento, matando sete astronautas e chocando milhões de espectadores que viam na tevê, ao vivo, mundo afora. Fevereiro. JS lança Plano

Cruzado, aconselhado pelo genro Jorge Murad; Delfim Neto afirma que "por muito menos botamos o João Goulart para correr"; preços congelados, fiscal correndo atrás de boi no pasto e "fiscais do Sarney" de bótons nas camisetas vociferando nos telejornais; plano eleitoreiro: o PMDB elegerá 22 de 23 governadores, no maior estelionato eleitoral da história. Julho: aumento em carros e combustíveis quando governo alardeia "inflação zero" provoca manifestações contra JS. 21 de novembro: explode em Brasília o Badernaço, com saques, depredações e incêndios; Sarney põe tanques nas ruas. JS faz do populista Epitácio Cafeteira, ex-adversário, mais um governador "de bolso". Brasil reata relações com Cuba.

1987. Alívio internacional: americano Reagan e russo Gorbatchov assinam tratado para eliminar mísseis nucleares de médio alcance. Com o monumental fracasso do Plano Cruzado, JS lança o Plano Bresser e mete a mão na poupança do povo: em valores de 2007, surrupia mais de 1 trilhão e meio de reais. PCdoB rompe com governo Sarney. JS suspende pagamento dos juros da dívida externa. Morrem: sociólogo Gilberto Freyre, autor do fundamental *Casa Grande & Senzala*; jornalista Cláudio Abramo, reformador da *Folha de S. Paulo*; poeta-mor Carlos Drummond de Andrade. Governo de JS naufraga em 25 de junho, quando uma multidão enfurecida aborda seu ônibus na Praça XV, Rio, gritando: "Sarney, salafrário! Está roubando o meu salário!" "Sarney, ladrão! Pinochet do Maranhão"; quebram uma janela e ferem JS na mão; dois vão presos com base na Lei de Segurança Nacional; governo acusa Brizola, *O Globo* e a Rede Globo ecoam e até pedem a cassação do ex-governador. Guarda Municipal de Jânio vai despejar 20 mil famílias que ocupam terrenos na Zona Leste paulistana e mata o pedreiro Adão da Silva. 1º de julho, Rio: 30 mil incendeiam 60 ônibus e destroem vidraças e carrocerias de outros 100, após aumento de 49% nas passagens, em pleno congelamento decretado por JS; a polícia prende cem; o aumento é cancelado. No Acre, cercado por 1.200 soldados,

JS ouve o povo de Rio Branco gritar "o povo não aguenta Sarney até noventa". Pistoleiro a serviço de latifundiários mata com 5 tiros na cabeça Paulo Fonteles, 38 anos, advogado de posseiros do Pará. Peemes invadem casa em São Paulo e matam com 8 tiros o ex-menino de rua Fernando Ramos da Silva, 19 anos, ator principal do filme biográfico *Pixote*. Catadores pegam uma peça de um instituto de radioterapia abandonado, em Goiânia, para vender; abrem e encontram cápsulas com um pó brilhante, que dão de presente a várias pessoas, provocando grave acidente radioativo: de uma centena de contaminados, quatro morrem. Surge o Prozac, a "pílula da felicidade". Morre Golbery do Couto e Silva (1911-1987), criador do "monstro" Serviço Nacional de Informações e chefe do Gabinete Civil dos governos Geisel e Figueiredo. Em novembro, povo vaia JS em Belém e 17 vão presos. A três dias do *réveillon*, 4 mil garimpeiros de Serra Pelada se rebelam, a PM reage à bala: 133 mortos.

1988. Vão-se no início do ano o cartunista Henfil, aos 43 anos, e o pintor Volpi, aos 92. Casamento de Roseana com Murad vai para o brejo, ela reata namoro de adolescência e se diverte nos cassinos de Monte Carlo, Atlantic City e Las Vegas. JS assina, como presidente, a Constituição "cidadã" de Ulysses Guimarães; mas alinha-se ao centro-direita, o Centrão, liderado por Roberto Cardoso Alves, deputado paulista que reza pela cartilha do "É dando que se recebe". JS acha que o Brasil é um Maranhãozão: destina apenas 10,6% do orçamento à Educação. Roraima vira Estado. JS estica o mandato para cinco anos, após negociação com o Congresso, que inclui liberação de mais de mil concessões de emissoras de rádio e televisão. JS derrota o aliado Magno Bacelar, em campanha para o Senado pelo PDS: o empresário, cria de JS, perde a concessão da Globo para o Sistema Mirante, da família Sarney. Índia caiapó Tuíra passa facão no rosto de José Antônio Muniz Lopes, dirigente da Eletronorte, num encontro para discutir danos ambientais da construção da usina Belo Monte; a cena corre mundo e o Banco Mundial sai da parada.

PT elege primeira mulher prefeita de São Paulo, a paraibana Luiza Erundina. JS age como na ditadura: em 9 de novembro, 1.300 homens do Exército invadem Volta Redonda para expulsar 3 mil operários em greve por reposição salarial e turno de seis horas; com tanques, bombas de gás e fuzis, matam brutalmente três grevistas e ferem nove gravemente. Ano termina com o assassinato do líder seringueiro Chico Mendes, três dias antes do Natal.

1989. JS corta gasto com educação a menos de metade: 4,6% do orçamento; se houvesse reeleição, conseguiria transformar o país num Maranhãozão. Em janeiro, JS lança o cruzado novo, que vale mil cruzados (cortou três zeros). Em maio, PT, PCdoB e PSB lançam Lula à presidência. JS finge que apoia Lula, que vence em São Luís, a "ilha rebelde" desde 1951; sarneyzistas descarregam votos em Collor. JS reaproxima-se de Collor; em segredo, preparam o confisco da poupança. Bahia: 1.600 famílias ocupam duas fazendas; em Feira de Santana, pistoleiros matam o líder camponês Olegário Dias Bispo. Greve nacional de bancários em abril; JS baixa medida provisória que restringe o direito de greve. Maranhão: duzentas famílias ocupam fazenda em Victorino Freire e dois sem-terra são assassinados; em Santa Luzia, PM espanca e expulsa ocupantes de outra fazenda. Morto a tiros em Montanha líder camponês capixaba Verinoi Sossai. Em novembro, cai o Muro de Berlim e se esfacela o "mundo socialista". Governo JS finda com recorde imbatível: maior inflação da história, 1.764,86% ao ano; nos supermercados, maquininhas de remarcar preço funcionam dia e noite. A candidatura Silvio Santos, lançada pelos Três Porquinhos, apavora o QG de Collor, composto por ele, Cleto Falcão e Renan Calheiros; só para de crescer quando o TSE a cassa por falta de base legal. Cai o muro de Berlim em 9 de novembro. Collor bate Lula e se elege presidente, o primeiro pelo voto em 25 anos. Tragédia nos últimos minutos: barco Bateau Mouche, para 62 passageiros, leva 142 que pagaram US$ 150 cada um para assistir sobre as águas a queima de fogos em Copacabana; a Capitania dos Portos liberou o barco para alto-mar sem ter condições para tanto; os donos, espanhóis, fugiram para seu país.

1990. Polícia Federal expulsa 45 mil garimpeiros de terras dos ianomâmis em Roraima. Morrem Luiz Carlos Prestes aos 92 e Cazuza aos 32. Povo saqueia meia centena de supermercados nos subúrbios cariocas; em Jacarepaguá, 3 mil favelados invadem condomínio abandonado havia 7 anos. JS sai da presidência com hiperinflação e novo endereço eleitoral: Amapá; a barra começa a pesar no Maranhão. Collor toma posse em 15 de março e bloqueia contas correntes e poupanças; gente se suicidou. Falha projeto de fazer Sarney Filho governador; JS "elege" Edison Lobão, futuro ministro das Minas e Energia de Lula. Líderes rurais são sequestrados, feridos ou mortos no Ceará, Pará, Rio, Tocantins, Rio Grande do Sul, Pernambuco; até a CNBB denuncia a violência dos latifundiários. Brutalidade em Diadema, São Paulo: 500 peemes expulsam 700 ocupantes da Vila Socialista, matam dois, prendem 46 e decepam a mão de um vereador. Descoberta no cemitério de Perus, São Paulo, vala clandestina com 1.049 ossadas, enterradas como se fossem de indigentes; eram de presos políticos desaparecidos. Darci e Darli Alves dos Santos condenados a 19 anos pela morte de Chico Mendes. Sai o coronel, entra o coronelzinho e os gastos com educação caem mais: 2,4% do orçamento; parece que eles professam o ignorantismo. Chegam a internet e o telefone celular.

1991. Na ressaca do *réveillon*, centenas de favelados saqueiam supermercados na periferia de São Paulo. Antropólogos vão pesquisar por que adolescentes guaranis e caiuás se matam: em dois anos, 74 casos; claro que só veem desgraça pela frente. Entra em vigor o Código do Consumidor. Cemitérios clandestinos da ditadura descobertos em São Paulo e Pernambuco. Libertados 64 trabalhadores escravizados em duas fazendas de Ourilândia, Pará. Saldo dos protestos contra a primeira privatização de Collor, da

Usiminas: 70 feridos e 13 presos. No centro do Rio, 3 mil se manifestam contra a matança de crianças e adolescentes de rua. Mudanças internacionais: não há mais União Soviética; mas nasce o Mercosul.

1992. Morre Jânio em 17 de fevereiro. Conselho Regional de Medicina paulista processa Harry Shibata e outros médicos que colaboraram com a tortura na ditadura. Em maio, imprensa publica dossiê de Pedro Collor, irmão do presidente, que acusa Paulo César Farias, o PC, tesoureiro da campanha de Fernando Collor, de possuir uma fortuna em contas bancárias no exterior. Eco-92, encontro com 114 chefes de Estado, instala-se no Rio; pouco avança: EUA, responsáveis por um quarto das emissões de carbono, não assumem compromissos e boicotam documentos. CPI do PC Farias mostra corrupção instalada no coração do governo, com conivência do presidente; empresário Takeshi Imai diz que o esquema PC-Collor o achacou. Imprensa denuncia superfaturamento na compra de cabos de alumínio pela Eletronorte, domínios de JS. Morre Herivelto Martins, aos 80, autor de dezenas de sucessos, como *Ave Maria no Morro* e *Praça Onze* (com Grande Otelo). Movimento dos caras-pintadas contra corrupção empurra Collor para o *impeachment* e ele renuncia; o Senado cassa-lhe os direitos políticos até 2000; assume o vice, o mineiro Itamar Franco. Morre em acidente de helicóptero o "senhor Diretas", Ulysses Guimarães. Rapaziada dos morros cariocas inaugura o arrastão: aos magotes, saem por Copacabana, Ipanema e Leblon tomando o que podem de banhistas e transeuntes. PM paulista massacra 111 presos no presídio do Carandiru, na véspera das eleições de 3 de outubro. O governador Fleury Filho chama, para novo secretário da Segurança de São Paulo, Michel Temer, futuro parceiro de JS no Congresso. Um coronel venezuelano tenta depor em golpe armado o neoliberal corrupto Carlos Andrés Pérez; seu nome é Hugo Chávez. Fecho trágico, três dias antes do *réveillon*: ator Guilherme de Pádua, 23 anos, e sua mulher Paula Thomaz, 19, emboscam a atriz Daniella

Perez e a matam com 18 punhaladas; Guilherme e Daniella faziam par amoroso na novela *De Corpo e Alma*, de Gloria Perez, mãe da atriz.

1993. Pesquisa da Ordem dos Advogados do Brasil apura que, de 89 cursos de Direito, apenas 7 formam advogados confiáveis! Plebiscito em abril: povo diz não à monarquia e ao parlamentarismo e sim à república e ao presidencialismo. Lula inicia a Caravana da Cidadania, entre Garanhuns e São Paulo, em dois ônibus que num mês percorrem 300 municípios. Em Arraial d'Ajuda, Bahia, a PM expulsa de suas terras 35 famílias pataxó. À paisana, 6 peemes matam a tiros 7 garotos que dormem ao pé da igreja da Candelária, no Rio. Itamar Franco cria o cruzeiro-real, prepara terreno para entrar em cena seu ministro da Fazenda FHC, Fernando Henrique Cardoso. Senado aprova até 100% de capital estrangeiro nas privatizações: vem aí com tudo o neoliberalismo — ou, como dizia Brizola, o velho colonialismo de roupa nova. PM prende dezenas e fere 25 que protestam contra a privatização da Cosipa, Companhia Siderúrgica Paulista; 50 presos e 20 feridos em Minas, em protesto contra o leilão da Açominas. Massacre em Vigário Geral, Rio: peemes assassinam 21 moradores a esmo, em represália a emboscada que vitimou quatro policiais. PC Farias preso na Tailândia. CPI instalada a pedido de Eduardo Suplicy revela corrupção sem precedentes na manipulação de verbas públicas, promovida por políticos e empreiteiras; deputados envolvidos ficam conhecidos como Sete Anões: João Alves (PPR-BA); Genebaldo Correia (PMDB-BA); Messias Góis (PFL-SE); José Geraldo Ribeiro (PMDB-MG); Cid Carvalho (PMDB-MA); Manoel Moreira (PMDB-SP); e José Carlos Vasconcellos (PRN-PE). Governador paraibano Ronaldo Cunha Lima dá três tiros no antecessor Tarcisio Burity, por críticas que fez a seu filho Cássio, superintendente da Sudene; impune. Morre o grande Grande Otelo. Operação Mãos Limpas chega ao fim com 300 peixes graúdos encaminhados a julgamento, inclusive altíssimos executivos e políticos de primeira linha — isso na Itália.

1994. Revolta indígena-camponesa zapatista em Chiapas, sul do México; tomam cidades. No Dia do Trabalho, 1º de maio, morre o piloto Ayrton Senna da Silva, em Ímola, Itália, aos 34 anos, ao bater no muro de uma curva. Escândalo da gráfica do Senado; Roseana está entre os políticos que ilegalmente imprimem ali material de propaganda eleitoral. JS elege "no braço" a filha Roseana governadora do Maranhão, reeleita em 1998. Lançado Plano Real, mais um passo rumo à eleição de FHC, ministro da Fazenda de Itamar. Governo devolve à União Nacional dos Estudantes, UNE, terreno tomado pela ditadura militar. No 7 de Setembro, 1º Grito dos Excluídos, com apoio da CNBB, Conferência Nacional dos Bispos do Brasil. Aeroportuários, petroleiros e metalúrgicos em greve. Vexame no Rio: Exército e Marinha ocupam favelas, prendem, torturam, apreendem umas armas, trouxinhas de maconha, e caem fora. Lula perde eleições presidenciais pela segunda vez, agora para FHC. Nelson Mandela é o primeiro presidente negro da África do Sul; fim do racista Apartheid. Aos 67, em 8 de dezembro, se vai o genial Tom Jobim, que disse: "O Brasil é um país de ponta-cabeça."

1995. Em 1º de janeiro, FHC assume a presidência da República. JS presidente do Senado pela primeira vez indica, para diretor da Casa, Agaciel Maia, o patrono do escândalo da gráfica. Três mil sem-terra gaúchos marcham por reforma agrária; em São Paulo, no Pontal, invadem três fazendas. Recife: manifestantes apedrejam ônibus de FHC. FHC manda Exército ocupar refinarias para acabar com greve de petroleiros. Conflito em São Félix do Xingu, Pará: morrem seis sem-terra e um peeme. Primeira privatização sob FHC: Escelsa, Espírito Santo Centrais Elétricas S.A. Escândalos tisnam o governo logo no primeiro ano: Júlio César Gomes dos Santos, assessor próximo de FHC, cai num grampo intercedendo a favor de um amigo, empresário José Afonso Assumpção, na bilionária concorrência para o Sivam, Sistema de Vigilância da Amazônia; o Banco Econômico quebra e uma pasta rosa obtida com o estabelecimento contém nomes de 44 políticos que receberam dinheiro na campanha de 1990, entre eles ACM.

1996. Em janeiro, no auge da fama com suas letras escrachadas, os cinco jovens de Guarulhos, na Grande São Paulo, que formavam o grupo Mamonas Assassinas, voltando de jatinho de um *show* em Brasília, morrem espatifados na Serra da Cantareira, minutos antes de aterrissar em Congonhas. Presos líderes dos sem-terra, entre eles Diolinda Alves, mulher do líder dissidente do MST José Rainha. 17 de abril: peemes do Pará matam em Eldorado dos Carajás 19 sem-terra, 11 deles maranhenses expulsos de suas roças pela Lei de Terras que JS inventou no primeiro governo (1966-1970). Assassinado em Alagoas PC Farias, com evidências de queima de arquivo. Justiça paulista considera que peemes que massacraram 111 presos no Carandiru em 1992 são todos "inocentes". Morre no Rio João Antônio, autor do clássico *Malagueta, Perus e Bacanaço*; o corpo, que ficou três semanas no apartamento em que morava, é encontrado em 31 de outubro, enquanto em sua terra natal, São Paulo, um Foker 100 da TAM cai logo após decolar de Congonhas matando 99 pessoas.

1997. 7 de março. Cinegrafista amador flagra 12 peemes extorquindo moradores da favela Naval, periferia de São Paulo; o soldado Gambro, o Rambo, dispara contra o carro do almoxarife Mario Josino, que morre; Rambo foi condenado a 65 anos de prisão. Sergio de Souza, com uma plêiade de ex-companheiros de redações, lança a revista *Caros Amigos* em abril, 31 anos depois de *Realidade*. Chocante: em Brasília, cinco boyzinhos, entre eles o filho do presidente do Tribunal de Justiça da capital federal, jogam álcool e ateiam fogo no pataxó Galdino Jesus, que dorme num banco de ponto de ônibus, depois de participar de evento pelo Dia do Índio, 19 de abril; ele morre com 95% do corpo queimado. Agora que Lula perdeu as eleições, Senado aprova a reeleição do presidente da República, governadores e prefeitos. Gente boa se vai: Darcy Ribeiro, Paulo Freire e Herbert de Souza, o Betinho. Na mais escandalosa privatização da breve Era FHC, a Vale do Rio Doce vai para a iniciativa privada por ao menos um terço do que vale: R$ 3,3 bilhões.

1998. PCdoB informa que apoia Lula nas eleições presidenciais de outubro. Modelo Luma de Oliveira dá *show* de submissão feminina no carnaval carioca: desfila de coleira que traz o nome do marido, o empresário Eike Batista (v. 2008). Fevereiro quente. PM expulsa da Câmara sindicalistas que gritam "ou para a reforma, ou paramos o Brasil"; cinco dias depois, com o Congresso cercado e cavalarianos espancando manifestantes, a Câmara aprova a reforma da Previdência em 1º turno; dia 22, desabam na Tijuca, Rio, 44 apartamentos do Palace II, obra da construtora Sersan, do deputado Sergio Naya (PP-MG), matando 8 pessoas e desabrigando 120 famílias. Março. Em Barra Mansa, Rio de Janeiro, encontram o corpo do líder do MST Adelson Brito: levou 5 tiros. Ficam na saudade o vozeirão e a inigualável interpretação de Tim Maia. Abril. Morrem Sérgio Motta, ministro e "trator" de FHC; e Luís Eduardo Magalhães, deputado federal, filho de ACM, que sonhava vê-lo presidente da República. Ministério da Justiça reconhece que a estilista Zuzu Angel, mãe de Stuart Angel, torturado até a morte em base aérea no Rio em 1971, morreu em 1976 em atentado, e não em acidente de automóvel. Maio. A coligação PT-PDT-PSB-PCdoB lança Lula-Brizola à presidência, na sucessão de FHC. Líder sem-terra e cacique são assassinados, sertanejos famintos saqueiam caminhões de alimentos. Enquanto Ronaldo sofre convulsão e entra apático em campo, a copa da França é da França e de Zinedine Zidane. Em julho, privatização da Telebras rende R$ 22 bilhões; Espanha, Portugal e Estados Unidos controlam o setor; a PM fere 44 e prende 32 durante protestos; grampo revela que os manda-chuvas da área econômica Mendonça de Barros e André Lara Resende favoreceram um dos grupos; Mendonça diz a *IstoÉ* que FHC "sabia de tudo". Agosto. Preso o "maníaco do parque", motobói Francisco de Assis Pereira, que atraía com muita lábia garotas ao

Parque do Estado, na capital paulista, prometendo emprego de modelo; espancava, violentava, matava por asfixia: foram dez, fora nove que escaparam. Setembro. Fidel nos visita e se reúne com FHC e Lula. FHC reeleito no primeiro turno com 53% dos votos, contra Lula 31,7%, Ciro Gomes 11%; 3 meses depois, a popularidade dele despenca.

1999. FHC toma posse em 1º de janeiro sem pompa e, logo, quebra a paridade do real com o dólar, ou seja, cai na real e desvaloriza o real. Lâmpadas apagam, elevadores estacam entre dois andares, metrô para: é o Apagão de FHC. Em acidente de trânsito em São Paulo, morre Dias Gomes. Banco Central "socorre" os bancos Marka e FonteCindam, com 1 bilhão e 600 milhões de reais, gerando CPI e fuga do banqueiro Salvatore Cacciola para a Itália, graças a uma suprema toga amiga. JS visita o Líbano e lança *O Dono do Mar* em árabe. Antropólogo Walter Neves descobre em Lagoa Santa, Rio Grande do Sul, fóssil de crânio feminino, Luzia, com 11.500 anos. O baiano Arcelino Freitas, o Popó, nocauteia o russo Anatoly Alexandrov e se torna campeão mundial superpena de boxe. 3 de novembro, São Paulo. Raridade por aqui: Mateus da Costa Meira, 24 anos, num cinema do Morumbi, metralha a plateia, matando três pessoas.

2000. Ellen Gracie Northfleet, nomeada por FHC, é primeira mulher ministra do STF. Edemar Cid Ferreira, das falcatruas no Banco Santos, promove o *Brasil+500: A Mostra do Redescobrimento*; no Maranhão, a governadora Roseana Sarney, para receber a festa, gasta mais de R$ 4 milhões e meio em reforma e adaptação do Convento das Mercês; festa vira desastre: em Porto Seguro, Bahia, polícia espanca índios e a réplica da Nau Capitânea de Cabral não funciona; e o ministro do Turismo Rafael Greca cai por envolvimento em denúncias contra a máfia dos bingos. Brahma se funde com Antarctica, negócio de R$ 11 bilhões que forma a Ambev, sétima empresa de bebidas do mundo. Barbárie estatal: em operação desastrada, PM carioca mata refém Geisa

Firmino, durante sequestro do ônibus 174; o sequestrador, Sandro Nascimento, é sobrevivente da chacina da Candelária (v. 1993); desta vez não escapa, os peemes o asfixiam no camburão em que ia preso. Impunidade na imprensa: jornalista paulista Pimenta Neves, diretor de redação do *Estadão*, mata pelas costas namorada e, recorrendo a altas togas, fica impune indefinidamente. Junho: cassado em votação secreta o senador Luís Estêvão, envolvido no superfaturamento das obras do TRT de São Paulo. Outubro: surgem na mídia denúncias de corrupção contra Jader Barbalho (PMDB-PA), que em 35 anos de vida pública amealhou fortuna de R$ 30 milhões. Preso em dezembro o primeiro colarinho-branco de que se tem notícia: o juiz Nicolau dos Santos Neto, pelo desvio de R$ 170 milhões nas obras do TRT paulista: lavagem de dinheiro, evasão de divisas e formação de quadrilha. Fisco acusa "incompatibilidade entre movimentação financeira e montante declarado ao IR" do deputado Eduardo Cunha (PMDB-RJ), o "flexibilizador" das licitações (v. 2009). Saldo do ano: Fernandinho Beira-Mar, preso, acusa: pagou US$ 500 mil para evitar — em vão — que suas irmãs caíssem presas; parentes de magistrados, policiais e parlamentares da CPI do Narcotráfico receberam propina.

2001. FHC cria o Programa Nacional de Renda Mínima, vinculado à educação, o Bolsa Escola. Em 4 de fevereiro, Herbert Vianna, líder do conjunto Paralamas do Sucesso, cai com seu ultraleve na baía de Angra dos Reis; morre sua mulher, ele fica paraplégico. Março. Plataforma da Petrobras P-36 explode na madrugada do dia 15, na bacia de Campos, matando 11 funcionários; o povo brasileiro pôde ver pela tevê o naufrágio ao vivo. Antônio Carlos Magalhães (PFL-BA) perde a presidência do Senado e dispara acusações contra o vencedor Jader Barbalho, que renuncia para não perder os direitos políticos. Crise no Senado que é a cara de JS: ACM e José Roberto Arruda (PSDB-MG) renunciam, apanhados com a mão na botija: devassaram o painel de votação e sabem como votou cada colega na cassação de Luís

Estêvão em 2000. Atentado às torres de Nova York em 11 de setembro. FHC extingue a Sudene e a Sudam, em meio a denúncias de corrupção e ineficiência. Crescimento do PIB previsto para 4,5% cai para 2,5%. Greves no serviço público: servidores de universidades e do INSS param quase todo o segundo semestre, por aumento de salários. Crise na energia leva o governo a implantar racionamento. Petrobras vazando: em fevereiro, em Morretes, Paraná, 50 mil litros de diesel contaminam 15 quilômetros de águas; em abril, 26 mil litros de óleo caem no mar na Bacia de Campos. Parece que "faz parte": governo ameaçou mudar o nome para Petrobrax, a fim de vender essa joia da coroa. Ministério do Trabalho relaciona 82 trabalhos vetados a menores de 18 anos, entre eles aplicação de agrotóxico e industrialização de açúcar e sisal. CPI da CBF-Nike não dá em nada e o presidente Ricardo Teixeira se safa mais uma vez (Fernando Sarney, filho caçula de JS, é vice-presidente da CBF). Morrem Maria Clara Machado, aos 80, e Jorge Amado, aos 88. Ano do apagão: por falta de planejamento, o povo enfrenta racionamento de energia e corre às lojas para comprar lâmpadas "econômicas".

2002. 1º de março: agentes e delegados da PF vasculham a Batcaverna, ou empresa Lunus, de Roseana e seu marido; encontram 27 mil em notas de 50, dinheiro mal explicado; a pré-candidatura da governadora maranhense Roseana à presidência da República, em alta, vira picolé e derrete. José Reinaldo Tavares se elege governador do Maranhão como aliado de JS. Mas rompe com ele e passa a integrar a Frente de Libertação do Maranhão que derrota Roseana em 2006. João Paulo II canoniza Madre Paulina, primeira santa brasileira, na verdade nascida na Itália, mas vinda ao Brasil criança e fixada em Santa Catarina; morreu em 1942 e a ela se atribui vários milagres. Junho. Jornalista da TV Globo Tim Lopes filma escondido baile *funk* no complexo do Alemão, para mostrar como as drogas circulam à vontade, é capturado, "julgado e executado". Vão-se Mário Lago, ator, autor de *Amélia* (com Ataulfo Alves), e Chico Xavier, mais importante médium kardecista do mundo. Brasil bate Alemanha por 2 a 0 e se torna pentacampeão mundial de futebol na Copa de Japão-Coreia. Lula derrota o governista José Serra e pela primeira vez um operário vai sentar na cadeira de presidente.

2003. Primeira medida de Lula: Fome Zero. De 56 cargos federais no Maranhão, JS preencherá no governo Lula 54, deixando apenas 2 para o próprio partido do presidente, o PT. JS escolhido para a presidência do Senado pela segunda vez. Michel Temer, aos 62 anos, casa em segundas núpcias com uma "aspirante a *Miss* Paulínia", de 20 anos. José Reinaldo casa, em segundas núpcias, com a aeromoça Alexandra Cruz, com quem tem duas filhas; Alexandra, a Grande, como fica conhecida, expulsa Roseana Sarney do Palácio dos Leões, por interferir no governo de seu marido. Suspeita explosão na Base Aérea de Alcântara, Maranhão, que mata onze engenheiros e dez técnicos, a equipe responsável pelo VLS (Veículo Lançador de Satélites), em 22 de agosto. Lula nomeia para o STF o mais velho dos oito filhos de um pedreiro e uma dona de casa: Joaquim Barbosa Gomes, primeiro negro na mais alta Corte em 174 anos de existência. Daiane dos Santos é a primeira atleta brasileira medalha de ouro num mundial de Ginástica Artística, na Califórnia. Presidente da Câmara, Aldo Rebelo (PCdoB-SP), recebe denúncia: Eduardo Cunha (PMDB-RJ) mais dois deputados tomam dinheiro de empresários de combustíveis, cobrando "pedágio" para que se livrem de convocação perante a Comissão de Fiscalização e Controle; não deu em nada. Morre Roberto Marinho, a quem JS muito deveu.

2004. O PMDB amapaense de JS apronta com João e Janete Capiberibe, ele senador, ela deputada federal; pede ao TSE a cassação dos dois por "compra de votos"; e eles serão cassados. Banco Central descobre rombo no Banco Santos, de Edemar Cid Ferreira, e decreta intervenção; o rombo, de mais de 2 bilhões e 200 milhões de reais, daria para comprar uma frota de

88 mil automóveis Fiat Palio. JS pede a Lula para suspender a medida contra o banco de seu amigo, em vão; então relaxa e tira do Banco Santos, à socapa, R$ 2 milhões que ali possui. Ricardo Murad, cunhado de Roseana e candidato do clã para retomar a prefeitura de São Luís, fica com apenas 8% dos votos. Carlos Roberto Muniz toma posse na Diretoria de Comunicações do Senado; será o único punido durante os escândalos do início da terceira gestão Sarney na presidência da Casa (v. 2009). Morre de infarto aos 82 anos Leonel Brizola, fundador do PDT e, caso único, governador do Rio Grande do Sul na década de 1960 e do Rio de Janeiro na de 1980.

2005. Grileiros assassinam a missionária americana Dorothy Stang, em Anapu, Pará. Atriz Maria Alice Vergueiro sucesso do ano no YouTube, com *Tapa na Pantera*, em que brinca com o hábito de fumar maconha, acendendo o movimento pró-liberação. Morre em agosto aos 88 anos Miguel Arraes, fundador do PSB, governador de Pernambuco preso em 1964 quando os militares dão o golpe de Estado e, depois de longo exílio, novamente por duas vezes. Natureza em fúria: em agosto, o furacão Katrina, com ventos de 250 quilômetros por hora, vem do Golfo do México e arrasa cidades americanas de Louisiana, Mississipi, Alabama e Flórida; em dezembro, entre Ásia e África, tsunami mata 150 mil, fere 500 mil e desabriga 5 milhões de pessoas. Acusado de operar o mensalão, esquema de pagamento de propina mensal para parlamentares apoiar medidas do governo, cai o ministro da Casa Civil José Dirceu, que sai dizendo "tenho as mãos limpas, saio de cabeça erguida".

2006. Em 29 de março, a bordo da nave russa Soyuz, vai ao espaço sideral o primeiro astronauta brasileiro, Marcos Pontes, 43 anos. Maio: preso Edemar Cid Ferreira, dono do Banco Santos, no qual JS punha dinheiro. Silas Rondeau, ministro de Minas e Energia, quer inaugurar o Luz Para Todos no Maranhão só com a presença de Sarney; assessores de Lula o demovem e convidam o governador José Reinaldo, agora adversário de JS. Em 29 de setembro, um jatinho Legacy da Embraer atinge em pleno ar sobre a mata amazônica um Boeing da Gol, que cai matando 154 pessoas; o jatinho, comprado por uma empresa americana, voava para os EUA fora do plano de voo. Advogada Carla Cepollina acusada de matar o namorado, coronel Ubiratan Guimarães, chefe dos peemes que massacraram 111 presos no Carandiru, São Paulo, em outubro de 1992. A Frente de Libertação do Maranhão derrota Roseana Sarney. Na posse de Jackson Lago, getulista, brizolista, fundador do PDT no exílio com Leonel Brizola, o povo faz festa na Praça Maria Aragão, nome da médica negra e prestista, segunda colocada no concurso Maranhense do Século, promovido pela Globo e vencido por outro negro de esquerda, o compositor João do Vale. O clã Sarney não se conforma, Edison Lobão propõe no Senado criar o Maranhão do Sul, para estabelecer um subfeudo ali. JS esteve bem perto de perder a disputa pelo Senado no Amapá. Joga sujo para derrotar a candidata negra Cristina Almeida, uma estreante na política. Eleição indefinida até o final: Sarney fica com 53,87% dos votos, Cristina com 43,59%. Lula reeleito com 60% dos votos, apesar do trabalho insano da mídia toda contra ele e a favor de Geraldo Alckmin, o "picolé de chuchu". Oligarquia baiana se verga: em final eletrizante, o petista Jacques Wagner derrota no primeiro turno Paulo Souto (PFL), candidato de ACM, fotografado em pose inédita: cabisbaixo; morrerá aos 79 anos, oito meses depois. A frase do ano é "Ontem o diabo veio aqui, ainda cheira a enxofre esta mesa", dita por Hugo Chávez, presidente da Venezuela, ao falar na ONU no dia seguinte à fala de George W. Bush.

2007. Março: grampo da PF capta Ernane Sarney, o Gaguinho, irmão de JS, cobrando propina que a construtora Gautama lhe devia. Partido de JS, o PMDB, tão logo seu filiado José Gomes Temporão assume a Saúde já começa a fritá-lo, porque atrapalha o fisiologismo, recusando-se a nomear apadrinhados para cargos técnicos e dificultando a liberação de certas verbas. José Serra, governador paulista, vai à pré-estreia de *O Dono do Mar*, baseado em livro de JS, que precisa conter Marly Sarney: quer expulsar Serra do recinto. Dezembro. Desenlace do episódio Renan Calheiros: o presidente do Senado renuncia para escapar à cassação, após a descoberta de que bancava amante com mesada paga pela construtora Mendes Júnior; Renan festeja na casa de Sarney; a moça posa nua mostrando a borboleta que traz tatuada na nádega. Silas Rondeau, homem de JS, deixa o Ministério de Minas e Energia acusado de pegar uma propinazinha de R$ 100 mil; ele se ajeitará na Petrobras.

2008. Janeiro. Morre Paulo Patarra, comandante da publicação mais importante do século 20, *Realidade*, da Editora Abril. JS empurra Edison Lobão goela abaixo de Lula e Dilma Rousseff no lugar de Silas Rondeau, no Ministério de Minas e Energia. Entra no ar a TV Brasil, acusada de chapa-branca, mas promessa de tevê "útil". Fevereiro. Com a nomeação de José Antônio Muniz Lopes para a presidência da Eletrobrás, JS tem poder total no setor elétrico. Em 25 de março, morre aos 73 Sérgio de Souza, fundador da *Caros Amigos* e, em maio, aos 81, o psicanalista, dramaturgo e jornalista Roberto Freire; ambos participaram da equipe de *Realidade*, da Abril, e do *Bondinho*. *Veja* revela em junho: agenda de Zuleido Veras, dono da Gautama, apreendida em 2007 anota *Roseana* ao lado de *R$ 200 mil*, dois meses antes da eleição que ela perdeu para Jackson Lago; noutra anotação, de 14 de abril, lê-se *Roseana* e ao lado *R$ 63 milhões*. Lei Seca no trânsito. Caso Isabella comove o país: casal Nardoni é acusado de jogar pela janela filha do primeiro casamento do marido. Agosto. O filho Fernando, gestor dos negócios da família, se vê às voltas com a Polícia Federal, acusado, após a Operação Boi-Barrica, de formação de quadrilha e outros crimes; JS desiste da presidência do Senado para evitar superexposição. Já não é mais o supercoronel, mas continua raposa. Será candidato sim. Morre Ruth Cardoso; morre Zélia Gattai, viúva de Jorge Amado, dona da cadeira 23 da ABL, que foi de Machado e de seu marido, Jorge. Quase ex-ministro da Cultura, Gilberto Gil lança *Banda Larga Cordel*, cd em que homenageia mulheres. *Folha de S. Paulo* promove Sabatina Folha com JS. Preso segundo homem da PF, Romero Menezes, suspeito de favorecer empresa que seu irmão gerenciava; a EBX, de Eike Batista, buscava "facilidades" de Menezes. Revista americana *Esquire* inclui Lula entre 75 homens mais influentes do século 21. Morre Lourenço Diaféria, famoso por episódio em 1977, quando um sargento do Exército pulou no poço das ariranhas no zoo de Brasília para salvar um menino que ali caiu e acabou ele, o militar, morto pelos bichos; em crônica na *Folha de S. Paulo*, Diaféria louvou o sargento e espicaçou os "heróis de pedestal", nos quais "o povo urina"; foi preso e perdeu o emprego na *Folha*. Gilberto Kassab derrota Marta Suplicy na disputa pela prefeitura de São Paulo; Lula e o PT saem fortalecidos dessas eleições. Barack Obama será o primeiro presidente negro dos Estados Unidos. Novembro. O XX Congresso da Ordem dos Advogados do Brasil, em Natal, anistia Jango e, em pesquisa com os participantes de todo o país, a Corte suprema presidida por Gilmar Mendes fica na rabeira: apenas 1% confia no STF. O catarinense Cristóvão Tezza acontece na literatura com *O Filho Eterno*. 7 de dezembro, domingo: *Folha de S. Paulo* publica "Uma bomba na cabeça", sobre "diagnóstico de aneurisma cerebral" em Roseana.

2009. 2 de fevereiro. JS eleito presidente do Senado pela terceira vez. Mas está mal nas fotos. Mal assume, a *The Economist* chama sua eleição de "vitória do semifeudalismo" em reportagem com o título "Onde os dinossauros ainda vagam". Para a revista inglesa, chegou a hora de JS se aposentar. Esquisita providência no início da legislatura: arquivos são incinerados sumariamente. 20 de fevereiro. Morre Sergio Naya, quase exatamente 11 anos depois do desabamento do Palace II. Março. Mesmo com "uma bomba na cabeça", Roseana se esbalda no carnaval carioca e, a seguir, abre o escândalo conhecido como Farra das Passagens: congressistas usam suas cotas de passagens aéreas para passear ou presentear amigos e parentes. Escândalo na cúpula da Segurança paulista envolve o próprio secretário-adjunto Lauro Malheiros: esquema vende transferência de um lugar para outro e até absolvição de policiais com crimes nas costas. 19 de março, dia de São José: JS recebe em Macapá para o café-da-manhã o presidente do STF, Gilmar Mendes. *Jornal Pequeno* noticia que "maratona de jogatina" reuniu uma dezena de pessoas na residência oficial do presidente do Senado, pai de Roseana Sarney, a qual admite: quatro vieram de São Luís com sua cota aérea; descoberta, ela diz que passaram sábado e domingo em "reunião de trabalho". JS livra-se de processo que pede a cassação dele e do governador do Amapá. O ministro do TSE Fernando Gonçalves susta o processo por "falta de custas para extração de fotocópias". Está no *Diário da Justiça* de 6 de abril de 2009. Escândalo da mansão não-declarada de Agaciel Maia, diretor do Senado, ali posto por JS. Deputado fluminense Eduardo Cunha enfia uma cunha na regra das licitações, tornando o processo mais simples para a Eletrobrás poder contratar serviços e comprar bens como quiser, de quem quiser. Carlos Roberto Muniz exonerado da Diretoria de Comunicações do Senado, porque tentou fazer um estudo sobre o "mau uso dos celulares" pelos senadores; foi o único punido pelos escândalos até ali. Abril. Togas superiores cassam o mandato de Jackson Lago; Roseana assume e nomeia tio Ernane, o Gaguinho, chefe da Assessoria de Programas Especiais da Casa Civil, uma boquinha. Joaquim Barbosa, primeiro negro a chegar ao STF nomeado por Lula, bate boca com o presidente da Corte, Gilmar Mendes, quando este sugere que ele desconhece uma matéria por faltar à sessão anterior; Barbosa diz a Mendes que ao dirigir-se a ele "não está falando com seus capangas do Mato Grosso" e o aconselha a ir "às ruas", pois Mendes só está "na mídia", "destruindo a credibilidade do Judiciário brasileiro"; inédito nos anais do STF. Zabé da Loca, tocadora de pífaro nata, grava primeiro disco aos 84 anos, 30 dos quais morou numa loca no sertão paraibano. Ao som da música tema de *O Poderoso Chefão*, JS adentra a igreja do Perpétuo Socorro, em junho, para o casamento de Mayanna, filha de Agaciel Maia, se lixando para a grita com nova onda de denúncias: o auxílio-moradia, que só dispensou depois de flagrado, e os atos secretos baixados pelo "seu" ex-diretor-geral, que beneficiavam com cargos e salários um grupo de apadrinhados da Casa, entre eles um neto de JS, filho de Fernando fora do casamento, a mãe do garoto, e duas sobrinhas do coronel; também estavam na igreja dois ex-presidentes do Senado, Renan Calheiros e Garibaldi Alves, e o ministro Edison Lobão. Ainda em junho, mais um Sarney sob a lupa da PF: o neto José Adriano, filho do deputado Zequinha Sarney, se locupleta como intermediário de créditos consignados para funcionários do Senado, denúncia que leva o senador Pedro Simon a pedir a renúncia do presidente da Casa. Fecha-se o cerco contra JS. Aos 50 anos, morre o astro *pop* Michel Jackson. Crise mundial esquisita, nunca chega aqui; Lula diz que ela se deve a loiros de olhos azuis.

Colaboraram João Otavio Malheiros e Othelino Filho.

Fontes principais: *Aos Trancos e Barrancos — Como o Brasil deu no que deu*, de Darcy Ribeiro, Editora Guanabra, Rio de Janeiro, 1985; *IstoÉ*, edição de aniversário, 30 anos, outubro de 2006.

Índice Remissivo